# リベラリズムへの不満

フランシス・フクヤマ
会田弘継［訳］

FRANCIS FUKUYAMA
LIBERALISM
AND ITS DISCONTENTS

新潮社

リベラリズムへの不満◆目次

訳注は［　］で示した。

# リベラリズムへの不満

# 序

この本は、古典的リベラリズムの擁護を目的としている。「古典的リベラリズム」という言葉には歴史的にさまざまな意味があるが、ここでは経済学者ディアドラ・マクロスキーが「人道的自由主義」と呼んでいるものを指す。[1] こんにち、リベラリズムは世界中で深刻な脅威にさらされている。かつてリベラリズムは当然なものとみなされていた。だがその長所を明確に示し、あらためて賞揚する必要があると思う。

ここでいう「リベラリズム」は、十七世紀後半にはじめて登場した思想だ。法律や究極的には憲法によって政府の権力を制限し、政府の管轄下にある個人の権利を守る制度をつくることを主張している。このリベラリズムは、こんにちの米国で中道左派政治に対するレッテルとして使われているものとはちがう。後述するように、中道左派政治の思想は古典的リベラリズムとは肝心な点で異なるものだ。また、米国でリバタリアニズム（自由至上主義）と呼ばれているものを指しているわけでもない。リバタリアニズムは、政府への敵意に基づく特異な思想だ。また、欧州で使われるような意味でのリベラルでもない。欧州では社会主義に懐疑的な中道右派の政党を指す。古典的リベラリズムは、多様な政治的見解を包含する大きな傘である。とはいえ、その政治的見解は、平等な個人の権利、法、自由が基本的に重要であると考えることでは一致していなければならない。

近年、リベラリズムが後退しているのは明らかだ。米人権団体フリーダムハウスによると、世界中の政治的権利と市民的自由は、一九七四年から二〇〇〇年代初頭までの三十数年間に改善したが、二〇二一年までの十五年間は一貫して悪化しており、民主主義の後退とか不況とさえ呼ばれている。[2]

既存のリベラルな民主主義国では、リベラルな制度が直接的な攻撃にさらされている。ハンガリーのビクトル・オルバン、ポーランドのヤロスワフ・カチンスキー、ブラジルのジャイル・ボルソナロ、トルコのレジェップ・タイップ・エルドアン、そしてアメリカのドナルド・トランプといった政治指導者たちは、いずれも合法的に選出されており、選挙で信任を得たことを口実にして、手はじめにリベラルな制度を攻撃している。攻撃される制度には、裁判所などの司法制度、中立的な官僚組織、独立したメディア、その他の「チェック・アンド・バランス（抑制均衡）」の制度の下で行政権を制限する諸組織が含まれる。オルバンは、裁判所に自分の支持者を判事として送り込み、ハンガリーのメディアの大半を自分の味方の支配下に置くことに成功した。それに比べるとあまりうまくいかなかったが、トランプによる司法省、情報機関、裁判所、主流メディアなどの組織を弱体化させる試みも狙いは同じである。

近年、リベラリズムは、右派のポピュリストからだけでなく、新たに出てきた進歩的な左派からも挑戦を受けている。左派からの批判は、リベラルな社会が、すべての集団を平等に扱うという自らの理想に応えていないとする、それ自体としては正しい主張から展開されている。この批判はやがて、リベラリズムの根本的な原理そのものを攻撃するような広がりを見せた。根本的な原理とは、集団ではなく個人に対し権利を認めることである。また人間はすべて平等であるという前提である。これらは憲法や自由主義的権利の依って立つ根拠となっている。さらには、真実を理解するための方法として重視されてきた言論の自由や科学的合理主義である。こうした原理を攻撃した結果、新しい進歩主義の正統から外れた意見には不寛容となり、その正統を実現するためにさまざまな形態の社会的・政治的権力が用いられるようになった。反対する意見を持つ者は影響力のある地位から追われ、書籍も事実上発禁のような状態になる。それは政府によってではなく、大衆への意見の拡散をコントロールする「SNSのような」強力な組織によって行なわれることが多い。

右派のポピュリストや左派の進歩派が現在のリベラリズムに不満を抱いているのは、その原理に根本的な弱点があるからではない。それよりも、この数十年の間のリベラリズムの発展の仕方に不満を抱いているのだと私は考える。一九七〇年代後半に始まった経済的自由主義は、現在ではネオリベラリズム（新自由主義）と呼ばれているものへと発展した。この新自由主義は、経済格差を劇的なまでに拡大した。そして壊滅的な金融危機をもたらし、世界中の多くの国々で、富裕層ではなく一般の人々をひどく痛めつけることになった。この格差こそが、リベラリズムとそれに結びつく資本主義システムを批判する進歩派の主張の核心になっている。リベラリズムの制度化されたルールは、すべての人の権利を保護する。そこには富や権力を手放したくない既存のエリートの権利も含まれるため、排除された人々のために社会的正義を実現しようとする際に障害となっている。リベラリズムは市場経済のイデオロギー的基盤であり、それゆえに資本主義がもたらす格差に関係していると考える人が多い。アメリカやヨーロッパの若いZ世代の活動家の多くは、リベラリズムを時代遅れのベビーブーマー世代の考え方であり、自己改革ができない「体制」であると考え、いら立っている。

同時に「個人の自律性」についての理解がどんどん拡大し、それが伝統的な宗教や文化など、他のすべての「良き生き方」のビジョンに勝る価値観だとみなされるようになった。保守派の人たちは、自分たちの信念の根幹が脅かされていると感じ、社会の主流からしきりに差別されていると感じた。また、保守派は、エリートたちがメディア、大学、裁判所、行政などを支配しており、非民主的な手段を使って政策を推進していると感じていた。この時期、アメリカやヨーロッパでは、保守派が何度も選挙で勝利したが、文化的変化の潮流を抑えるには至らなかったようだ。

ここ数十年のリベラリズムの発展に対するこのような不満から、右派・左派を問わず、リベラリズムを根本から別の制度に置き換えるよう求める声が出るようになった。右派では、民主的な選択がどうであろうと、保守派による政権維持を確実にするため、米国の選挙制度を操作しようとする試みがなされた。また、保守派の中には彼らが見た脅威への反応として、暴力に訴えたり権威主義的政府をつくろうと考える者も出てきた。左派では、富と権力の大規模な再分配を要求するだけでなく、人種やジェンダーなどの変えようのない特徴に基づき、個人ではなく集団として承認を求め、集団間での「結果の平等」を図る政策までをも要求している。このようなことが、社会の幅広いコンセンサスに基づいて起こることはありえない。だから進歩主義者たちは、この課題を追求するために、すすんで裁判所や行政機関を利用し、さらには彼らの社会的・文化的な力も行使し続けている。

リベラリズムに対する左右からの脅威は、非対称である。右からの脅威はより直接的で政治的だ。左からの脅威は主に文化的なものであり、ゆっくりと作用してくる。どちらも、リベラリズムに対する不満が原動力となっている。それは、リベラリズムの思想的本質とは関係がない。むしろ、ある種の健全なリベラリズムの考え方が、解釈によって極端なものへと押しやられてしまったことによる不満である。このような不満に対する答えは、リベラリズムを放棄することではなく、それを穏健化することである。

本書の構成は以下の通りである。第1章では、リベラリズムを定義し、その三つの重要な歴史的正当性を提示する。第2章と第3章では、経済的自由主義が、より極端な形である「ネオリベラリズム（新自由主義）」へと発展し、資本主義そのものへの強い反発と不満をいかに引き起こしたかを考察する。第4章、第5章では、自由主義の基本原則である個人の自律性がどのように絶対視され、リベラリズムの基盤である個人主義や普遍主義に対する批判へと転化していったかを検証する。また、第6章では、進歩的左派の側で始まった近代自然科学批判がやがて右派ポピュリズムに広がった問題を扱う。第7章では、現代のテクノロジーが、言論の自由というリベラリズムの原則にどのような課題を突き付けているかを描く。第8章では、右派にせよ左派にせよリベラリズムに取って代わりうる実行可能な案があるかどうかを問う。第9章では、国民意識の必要性がリベラリズムに突き付ける課題を考察し、第10章では、古典的リベラリズムへの信頼を再構築するために必要な大まかな原則を示す。

この本をリベラリズム思想史にするつもりはない。リベラリズムの伝統に寄与した重要な著作を記した人も、リベラリズムに対する批判者も、過去何十人といる。[3] それぞれの寄与を詳述する本は、何千とは言わないまでも何百とある。その代わり、現代のリベラリズムを支える中核的な考え方と、リベラリズムの理論が抱えるいくつかの重大な弱点とみなされているものに焦点を当てたい。

リベラリズムが数々の批判と挑戦に直面し、多くの人にとって、時代の課題にこたえられない古くてくたびれたイデオロギーのように見える時代に、本書を執筆することになった。リベラリズムが批判されたのはこれが初めてではない。フランス革命の後、リベラリズムが生きたイデオロギーになるやいなや、それを計算高い不毛な世界観に基づいているとみなすロマン派の批評家たちに攻撃された。さらに、第一次世界大戦の頃には、一世を風靡した民族主義者や、それに対抗する共産主義者からも攻撃された。ヨーロッパ以外の地域では、インドなどの社会にリベラリズムの思想が根付いたが、すぐに民族主義やマルクス主義、宗教運動から挑戦を受けた。

それにもかかわらず、リベラリズムはこれらの困難を乗り越え、二十世紀末には世界中の多くの国の政治において支配的組織原理となった。実用面でも、道義的な面でも、経済的な面でも妥当なものだと多くの人が納得したし、特に、リベラリズムに取って代わろうとする政治システムによって引き起こされた暴力的な闘争に疲れ果てた人々にとっては魅力的なものだった。それが、長く続いた理由だ。ウラジーミル・プーチンは「時代遅れ」の思想であるかのようにいうが、そうではない。多様ではあるが繋がりあった現在の世界で必要とされ続けている思想である。だからこそ、リベラルな政治の正当性を再確認すると同時に、現代の多くの人々がリベラルな政治に不満を感じている理由を明確にする必要がある。

特に二〇一六年以降、リベラリズムの欠点を分析し、どのように現状に適応する必要があるかを勧告する書籍、記事、政策宣言（マニフェスト）が数多く現れた。[4] 私は公共政策についての研究、教育、執筆に人生の大半を費やしてきたので、現代のリベラルな民主主義国家における生活を改善するために、具体的にどのような取り組みができるのか、アイデアは尽きない。しかし、この本では、そのような項目のリストを長々と示すのではなく、リベラルな体制を支える基本原則に焦点を絞り、その欠点を明らかにし、それに基づいて、どのように対処すべきかを提案する。たとえ欠点があったとしても、非リベラルな代替案よりも優れていることを示したい。一般的な原則から、より具体的な政策上の結論を導き出すのは他の方に任せたいと思う。

この本の執筆を後押ししてくれた英国の出版社、プロファイル・ブックスのアンドリュー・フランクリンに感謝したい。アンドリューは私の過去の九冊の本すべてを出版しており、数十年にわたって素晴らしい編集者であり支援者でもある。また、米国側の編集者であるファラー・ストラウス・ジロー社のエリック・チンスキーにも感謝したい。エリックは、内容や文体について貴重なアドバイスをしてくれた。エージェントのエスター・ニューバーグ、カロライナ・サットン、ソフィー・ベイカーは、この本をより多くの人に読んでもらうために、いつものように素晴らしい仕事をしてくれた。二〇二〇年秋には、ジェフ・ゲドミンらと協力して、新しいオンライン・ジャーナル「アメリカン・パーパス

（*American Purpose*）」を立ち上げ、その発刊にあたって執筆した論考が本書のベースとなった。[5] その論考は、アメリカン・パーパスの目的を明確にすることを意図したもので、われわれが現在繰り広げている政治・思想闘争に寄与することを期待している。同誌の同僚やスタッフ、サミュエル・モイン、シャディ・ハミッド、イアン・バッシン、ジート・ヘア、ドゥルヴァ・ジャイシャンカル、シカ・ダルミア、アーロン・シバリウム、ジョセフ・カピッツィ、リチャード・トンプソン・フォードには、当初の論考へのコメントを寄せてくれたことにお礼を申し上げる。タラ・イザベラ・バートン、ゲアハード・キャスパー、シカ・ダルミア、マーク・コードバー、デビッド・エプスタイン、ラリー・ダイアモンド、マチルデ・ファスティング、デビッド・フクヤマ、ビル・ゴールストン、ジェフ・ゲドミン、エリック・ジェンセン、ヤシャ・モンク、マーク・プラットナー、エイブ・シュルスキーをはじめ、助言やコメントをいただいた多くの方々に感謝する。最後にリサーチ・アシスタントを務めたベン・チュアヒャーの労苦に感謝したい。

# 第1章　古典的リベラリズムとは何か

リベラリズムを定義するいくつかの大きな特徴がある。それらの特徴によって、リベラリズムは他の思想や政治制度と区別されることになる。以下、［英政治哲学者］ジョン・グレイを引用しよう。

さまざまな種類のリベラルな伝統すべてに共通しているのは、人間と社会についての明確な概念であることだ。その性格は明らかに近代的だ……それは**個人主義的**であり、いかなる社会集団からの要請に対しても個人の良心の優位性を主張する。また**平等主義的**であり、すべての人間の良心に同じ地位を与え、人の違いに基づく法的または政治的序列があっても、人の良心の価値とは一切結びつけない。**普遍主義的**であって、人類という「種」の良心はみな同じであると主張し、特定の歴史的組織や文化形式には二次的重要性しか認めない。すべての社会制度と政治的取り決めは修正可能で改善の余地があると認める点で**改革主義的**である。人間と社会に対するこのような考え方が、リベラリズムに明確な特徴を与え、その内部にある多様性と複雑性を乗り越えさせている。[1]

リベラルな社会では、個人に権利が与えられるが、その中でも最も基本的なのが自律権、つまり言論、結社、信仰、究極的には政治的生活において自ら選択できる権利だ。自律性の範囲には、財産を所有する権利や経済取引を行なう権利が含まれる。やがて自律性には、選挙権を通じて政治的権力の一部を担う権利も含まれるようになった。

言うまでもなく、初期のリベラルは、権利を持つ人間の条件を限定的に解釈していた。アメリカをはじめとする「リベラル」な体制では、当初、この条件を満たすのは財産を所有する白人男性に限定され、他の社会集団にも拡大されていくのは後になってからだ。しかしながら、こうした権利の制限は、トマス・ホッブズやジョン・ロックのようなリベラリズムの理論家の思想的著作や、アメリカ独立宣言やフランス革命の「人間と市民の権利宣言」のような基本文書の中に書き込まれた人間の平等の主張に反するものであった。理論と実践の間に生じた緊張と、排除された集団による草の根運動が、リベラルな体制の進化を促し、人間の平等をより広く包括的に認めるようになった。これは、特定の人種や民族、ジェンダー、宗派、カーストないしは身分集団などの権利を明示的に制限する民族主義や、宗教に基づく教義とは大きく異なるものだった。

リベラルな社会では、権利を実定法に組み込んでいるため、結果的に手続きが重要となる傾向がある。法とは、紛争の解決方法や集団的意思決定の方法を定めた明示的なルールを体系化したものだ。法は政治家が短期的な利益のために悪用できないように、政治制度の他の部分から切り離され、半ば自律的に機能する一連の司法制度の中で具体化される。これらのルールは、多くの先進的なリベラル社会において、時間の経過とともに徐々に複雑になってきた。

リベラリズムは、しばしば「民主主義」という言葉に包含されるが、厳密に言えば、リベラリズムと民主主義は異なる原則と制度に基づいている。民主主義とは、国民による統治を意味し、こんにちでは、普通選挙権を付与したうえでの定期的な自由で公正な複数政党制の選挙として制度化されている。私が用いている意味でのリベラリズムは、法の支配を意味する。法の支配とは、行政府の権力を制限する公式なルールによる制度だ。たとえ行政府が選挙を通し民主的に正当化されたとしてもそれは制限される。したがって、第二次世界大戦後、北米、ヨーロッパ、東アジアや南アジアの一部など世界各地で普及した体制を語るときには、「リベラルな民主主義」と呼ぶのが適切だ。米国、ドイツ、フランス、日本、インドは、二十世紀後半にはリベラルな民主主義として確立していたが、米国やインドのように、ここ数年は後退している国もある。

近年、最も激しく攻撃されているのは、民主主義ではなくリベラリズムである。こんにち、政府が「国民」の利益を反映すべきではないと主張する人はほとんどおらず、中国や北朝鮮のようなあからさまな独裁政権でさえ、国民のために行動していると主張している。世界中の事実上の強権的指導者の多くもそうだが、ウラジーミル・プーチンは定期的に「選挙」を行なわなければならないと感じており、国民の支持を気にしているようだ。その一方で、プーチンは、リベラリズムは「時代遅れの思想」[2]だと発言し、批判者を黙らせ、反対する者を投獄したり、殺害したり、嫌がらせをしたりして、独立した市民活動の場をなくそうと力を注いでいる。中国の習近平は、共産党の権力に制約を課そうとする思想を攻撃し、あらゆる面で党の支配を強化している。ハンガリーのビクトル・オルバンは、欧州連合（ＥＵ）の中心部に「非リベラルな民主主義」を構築しようとしていると明言する。[3]

リベラルな民主主義が後退するとき、権威主義による攻撃の到来を教える「炭鉱のカナリア」の役割を果たすのは、リベラルな制度である。リベラルな制度は、行政権を制限することで民主主義プロセスを守っている。その制度が損なわれると、民主主義そのものが攻撃を受けることになる。そうなると、選挙結果は、「ゲリマンダリング」と呼ばれる党派圧力を受けた選挙区割りや、有権者の資格規定の強化や、あらぬ不正選挙の疑いをかけられたりして操作されてしまう。民主主義の敵は、国民の意思とは関係なく、権力の維持を確実なものにしようとする。ドナルド・トランプがアメリカの制度を攻撃した中で、最も深刻だったのは、二〇二〇年大統領選での敗北を認めず、後継者への平和的な権力移譲を拒もうとしたことだ。

教科書的に言えば、政治の実践においてリベラリズムと民主主義はともに道義的に正当なものである。これらは、適切なる統治の三本柱のうちの二本を構成しており、三本目の柱である近代的国家制度を制約するものとして重要である。その点は拙著『政治の起源』『政治の衰退』でかなり詳細に論じた。[4] しかし、現在のリベラルな民主主義の危機は、まずもって厳密に言えば、民主主義よりもリベラルな制度を中心に起きている。さらに言えば、現代世界の経済成長と繁栄を支えているのは、民主主義よりも断然リベラリズムである。第2章、第3章で見るように、平等や公正を考慮しない経済成長は非常に問題であるが、社会が求める多くの良きものにとって、成長が必要前提条件であることに変わりはないのである。

何世紀にもわたってリベラルな社会を正当化してきた三つの重要な点がある。一つ目は、実践的な合理性である。リベラリズムは暴力を規制し、多様な人々が互いに平和に暮らせるようにするための手段である。二つ目は道義性だ。リベラリズムは基本的な人間の尊厳、特に人間の自律性（各個人が選択する権利）を守るものである。最後は経済だ。リベラリズムは、財産権と取引の自由を守ることで、経済成長とそれに伴うあらゆる良いことを促進する。

リベラリズムは、ある種の認識方法、とりわけ科学的方法と強く結びついている。科学的方法は、特に外界を理解し操作するためには最良の手段であると考えられている。個人は自分の利益を最もよく判断することができると考えられており、そうした判断のために外界について経験に基づいた情報を取り込み、検証することができる。判断は当然、人により異なるが、思想の自由な市場では、証拠に基づき熟考すれば、最終的には良い思想が悪い思想を駆逐するというのがリベラルな信念だ。

実践としてのリベラリズムを擁護するには、リベラルな思想が生まれた歴史的な文脈の中で理解する必要がある。リベラリズムの思想は、十七世紀半ば、ヨーロッパの宗教戦争が終結した頃に登場した。プロテスタントの宗教改革に端を発して百五十年ほど絶えまなく武力闘争が続いた。三十年戦争では、中央ヨーロッパの人口の三分の一が死亡したといわれるが、これは直接的な暴力によるというより、軍事衝突に伴う飢餓や疫病によるものだった。ヨーロッパの宗教戦争の背景には、経済的・社会的な要因があった。

たとえば、欲深い君主たちはカトリック教会の財産を奪おうとした。ただ、激しい戦いをもたらしたのは、それよりも、各陣営がキリスト教の各宗派を代表し、それぞれの宗派の教義による解釈を人々に浸透させようとしたことに起因する。マルティン・ルターは皇帝カール五世を相手に、カトリック連盟はフランスのユグノーを相手に、ヘンリー八世は英国国教会をローマから分離しようと、それぞれ戦った。プロテスタントとカトリックの内部でも、英国国教会の高教会派と低教会派、ツヴィングリ派とルター派などをはじめ、多くの対立が起きた。また、この時代には、「聖変化」などの信仰を公言した異端者が火あぶりにされたり、四つ裂きの刑に処されたりするなど、経済的動機からだけでは考えられないほどの残虐な行為が行なわれていた。

リベラリズムは、政治というものは宗教が定める「良き生き方」を追求する手段ではなく、「生」そのものを確実なものとする、すなわち平和と安全の手段だとして、政治が高望みをしないようにした。イングランド内戦の最中に執筆活動を続けたトマス・ホッブズは君主制主義者であり、強力な国家は一義的には「万人の万人に対する闘争」に人類が戻らないための保証だと捉えていた。ホッブズによれば、暴力的な死への恐怖こそが最も強力な情熱であり、宗教信仰とは違ったかたちで人間に普遍的に共有されるものであった。したがって、国家の第一の義務は、生命の権利を守ることであった。これが時を経て、アメリカの独立宣言にある「生命、自由、幸福の追求」という一節の由来となった。この思想を基礎として、ジョン・ロックは、専制的な国家によっても生命が脅かされる可能性があり、国家自体が「被支配者の同意」によって制約される必要があると考えた。

古典的リベラリズムとは、多様性を統治するという問題に対する制度的解決策と理解することができる。少し違う言い方をすれば、多元的な社会における多様性を平和的に管理するということだ。リベラリズムが掲げる最も基本的な原則は寛容である。最も重要な事柄について同胞と合意する必要はない。各個人が他者や国家に干渉されずに何が重要かを決めることができるという点で合意できればよい。リベラリズムは、最終目標の問題を議論しないことにより、政治が熱狂的にならないようにする。人は何を信じてもよいが、それは私的領域に留め、意見を同胞に押し付けてはならない。

リベラルな社会が管理できる多様性には限度がある。もし社会の相当数がリベラリズムの原理を受け入れず、他者の基本的権利を制限しようとしたり、自分たちのやり方を通すために暴力に訴えるなら、リベラリズムだけでは政治秩序は維持できない。一八六一年以前のアメリカで、奴隷制の問題で国が分裂し内戦に陥ったのは、そうした状況となったためである。冷戦時代、西欧のリベラルな社会は、フランスやイタリアのユーロコミュニズム（欧州共産主義）政党により、似たような脅威に直面した。現代の中東では、エジプトのムスリム同胞団のようなイスラム主義政党がリベラリズムのルールを受け入れることには強い疑念が生じたため、リベラルな民主主義へ向かう展望が損なわれてしまった。

多様性はさまざまなかたちをとりうる。十七世紀欧州では宗教が問題となったが、国籍や民族、人種などのさまざまな信条が問題となりうる。ビザンチン帝国では、大競馬場の戦車競走で青組と緑組の応援団に分かれ、社会が二つに引き裂かれていたが、これは単性論と単意論というキリスト教信仰の派閥に対応した二極化であった。現在のポーランドは、ヨーロッパで最も民族的、宗教的に均質な社会の一つであるが、国際都市に拠点を置く社会集団と、地方を拠点とする保守的な社会集団との間で、激しい二極化が進んでいる。人間は、比喩的にも字義通りにも、互いに戦争するような集団に分かれるくせがある。数多くのさまざまな人間社会を特徴付けるのは多様性なのである。[5]

リベラリズムの重要な利点がその実用性であることは、十七世紀も今も変わらない。インドや米国のような多様な社会がリベラリズムの原則から離れ、人種、民族や宗教などの「良き生き方」の実体的ビジョンを国家アイデンティティの基礎とすれば、武力紛争への回帰を招く。米国は南北戦争でそうした紛争に見舞われ、モディ首相のインドはヒンズー教に基づく国家アイデンティティへと移行したことで地域社会における暴力沙汰を引き起こしている。

リベラルな社会を正当化する第二の理由は道義的なものである。リベラルな社会は、市民に平等な自律の権利を与えることによって人間の尊厳を守る。個々人それぞれ誰もが、人生の目的を自分で決めたいと思う。何を生業とするか、誰と結婚するか、どこに住むか、誰と仲間になり、誰と取引するか、何をどのように話すか、何を信じるか、自分で決めたいと誰もが思う。この自由こそが人間に尊厳を与えるのであり、知性、容姿、肌の色などの副次的な特徴とは異なり、この尊厳はすべての人に等しく与えられている。少なくとも法律は市民に言論、結社、信仰の自由を認め、これらの権利を実効性あるものとすることで、個人の自律性を守っている。やがて、その自律性は投票権を通じて統治に参加し政治権力を分かち持つ権利も含むようになった。このようにして、リベラリズムは民主主義と結びつき、集合的自律性を示すものとみなされるようになった。

フランス革命の頃にヨーロッパで生まれた、人間の基本的尊厳を守るためのリベラリズムという考え方は、現在では「尊厳の権利」という形で世界中のリベラルな民主主義国の多くの憲法に書き込まれ、ドイツ、南アフリカ、日本［憲法第十三条］など、さまざまな国の基本法にも登場する。現代の多くの政治家にとって、どのような人間的資質が人々に平等な尊厳を与えるのかを正確に説明することは難しいだろう。しかし、政府や社会から不当な干渉を受けずに自分の人生の進路を決定できる選択能力のようなものを意味するのだということは漠然と感じているはずだ。

リベラリズムの理論では、合衆国独立宣言の冒頭に「われわれは以下の事実を自明のことと信じる。すべての人間は生まれながらにして平等であり」とあるように、これらの権利はすべての人間に普遍的に等しく適用されると約束されている。しかし実際には、リベラルであるはずの体制が個人を不当に差別し、その体制の管轄下にあるすべての人々を完全な人間とはみなさなかった。米国は南北戦争後に憲法修正第十三、十四、十五条を成立させるまで、アフリカ系アメリカ人に市民権と参政権を与えず、恥ずべきことに南北戦争後の南部では、再建期が終わった後から一九六〇年代の公民権運動時代に至るまで長きにわたって、それらの権利を取り上げた。また、一九一九年に憲法修正第十九条が可決されるまで女性に投票権は与えられなかった。欧州の民主主義国家でも同様に、所有財産・性別・人種に基づく制限を取り除いていくのは段階的でゆっくりとしたプロセスで、二十世紀半ばまでかかった。[6]

リベラリズムを正当化する第三の理由は、経済成長と近代化に結びつくことであった。十九世紀の多くのリベラルにとって、最も重要な自律性の形態は、市場経済において自由に売買や投資ができることであった。財産権は、見知らぬ他者との取引や投資に伴うリスクを軽減する制度を通じた契約履行と並んで、リベラリズム思想の中核となっていた。それが理論的に妥当なことは明らかだ。翌年には政府、競合他社、犯罪組織などに収奪される（財産権が脅かされる）と考えたら、起業家はリスクを冒してまで事業に資金を投じない。財産権は大規模な法的制度によって支持される必要がある。その制度には、独立した裁判所、弁護士並びに弁護士会、警察権をもって私人に対して判決を執行できる国家といったものが含まれる。

リベラリズムの理論は、国境内での売買の自由だけでなく、早くから自由貿易の国際システムへの支持を打ち出していた。アダム・スミスの一七七六年の著書『国富論』は、重商主義による貿易規制（例えば、スペイン商品はスペイン船でスペインの港に運ぶべきだとするスペイン帝国の規制）は極めて非効率だということを示した。デビッド・リカードは比較優位の理論で近代貿易理論の基礎を築いた。だが、リベラルな体制の国家は、必ずしもこれらの理論が示すところに従っていたわけではない。例えば英国も米国も産業化の初期には、政府の援助がなくても競争できる規模になるまで関税で保護し、成長させた。しかし、リベラリズムと通商の自由には歴史的に強い結びつきがある。

財産権は、結社の自由や選挙権よりもはるかに前に、リベラルな体制の台頭によって保障された初期の権利の一つであった。欧州で最初に強力な財産権を確立したのは英国とオランダで、両国では起業家精神溢れる商工業者階級が育ち、爆発的な経済成長を遂げた。北米では植民地が政治的に独立する以前から、イングランド式のコモン・ローにより財産権が保護されていたし、ドイツ式の「法治国家」は、一七九四年のプロイセン一般ラント法などの民法を基礎として打ち立てられ、ゲルマン民族の世界に民主主義の兆しが見えるよりもはるか前から私有財産を保護していた。独裁的だが自由主義的な面もあったドイツは十九世紀後半に急速に工業化し、二十世紀初頭には経済大国となった。

古典的リベラリズムと経済成長の関連は並大抵ではない。一八〇〇年から現在までに、自由主義世界の一人当たりの生産高は三〇〇〇パーセント近くも伸びた。[7]このような成長は経済階層の上から下に至るまで実感され、普通の労働者でさえ、かつては最も特権的なエリートでも得られなかったレベルの健康、寿命、消費を享受できるようになった。

リベラリズム理論において財産権が中心に位置することによって、経済近代化の副産物としての新しい中産階級、すなわちカール・マルクスが「ブルジョワジー」と呼んだ人々が、リベラリズムを強力に支持することになった。一七八九年の「球戯場の誓い」を行なったフランス革命の最初の支持者は、ほとんどが王政から財産権を守ろうとした中流階級の弁護士らで、「サン・キュロット」と呼ばれた無産階級に選挙権を拡大することにはほとんど興味がなかった。米国の「建国の父祖たち」も同様だ。ほぼ全員が商人や大農園主といった富裕階級出身だった。ジェームズ・マディソンは「バージニア州議会での演説」の中で、「個人の権利と財産権は、政府がその保護のために設立された対象である」と論じた。彼は『ザ・フェデラリスト』第一〇篇で、財産の保護が必要であれば、必然的に社会階層と不平等が生じると指摘した。「財産を取得するさまざまな異なる能力を保護することによって、さまざまな程度と種類の財産所有が直ちに生じる。これらの事情がそれぞれの所有者の感情や見解に影響を与えることによって、社会は異なる利害や党派に分裂することになる」[8]

リベラリズムがいま直面している困難は目新しいものではない。リベラリズムという思想は何世紀にもわたってはやりすたりを経験してきたが、その根底にある強さゆえに常に復活してきた。リベラリズムは欧州の宗教戦争から生まれた。国家は自国の宗教的見解を他者に押し付けてはならないという原則は、一六四八年のウェストファリア条約以降、欧州大陸の安定を支えてきた。リベラリズムはフランス革命の初期の原動力の一つであり、当初は上・中流階級エリートの狭い集団を越えて政治参加を拡大しようとする民主主義勢力の味方であった。平等を求める党派は、自由を求める党派と決別して革命的な独裁政権を生み出し、結局はナポレオンのもとでの新たな帝国に取って代わられた。ところがナポレオンは、リベラリズムを法律（ナポレオン法典）というかたちで欧州の隅々にまで行き渡らせるのに重要な役割を果たした。これが欧州大陸におけるリベラルな「法の支配」の礎となった。

フランス革命後、リベラルたちは左右両派の他のイデオロギーに押され気味になった。革命は、リベラリズムに対抗する次の主要競争相手を生み出した。ナショナリズムである。ナショナリストは、政治的な管轄領域は主に言語と民族によって定義される文化的な単位に対応すべきであると主張した。ナショナリストはリベラリズムの普遍主義を否定し、自分たちの好む集団にのみ権利を与えようとした。十九世紀に入ると、イタリアとドイツが統一され、多民族を抱えたオスマン帝国やオーストリア＝ハンガリー帝国の中で民族主義的な動きが激しくなり、欧州は王朝制から民族国家に再編されだした。一九一四年に、これが暴発して第一次世界大戦が起き、数百万人の犠牲者を出し、さらに一九三九年に始まる第二次世界大戦への道を開くことになった。

一九四五年のドイツ、イタリア、日本の敗北によって、民主主義世界の統治イデオロギーとして、リベラリズムの回復への基礎が築かれた。ヨーロッパ人は排他的で攻撃的な国家概念を中心に政治を組織することの愚かさに気づき、古い国民国家を計画的に徐々に国境を越えた協力機構に従わせ欧州共同体（ＥＣ）を形成し、これが後にＥＵとなる。

「個人の自由」は欧州の列強に征服された植民地の民衆の自由をも意味し、列強の海外帝国は急速に崩壊することになった。自発的に植民地独立を認めた場合もあれば、植民地帝国が民族解放に武力で抵抗した場合もあった。このプロセスは一九七〇年代初頭にポルトガルの海外植民地が崩壊してやっと完結した。アメリカは一連の新しい国際機関創設において、強力な役割を果たした。その結果、国連（と、それに連携する世界銀行や国際通貨基金＝ＩＭＦ＝などのブレトンウッズ体制組織）、関税貿易一般協定（ＧＡＴＴ）とその後継の世界貿易機関（ＷＴＯ）が生まれ、北米自由貿易協定（ＮＡＦＴＡ）などの地域協力の試みもなされた。アメリカの軍事力と北大西洋条約機構（ＮＡＴＯ）への関与、日本や韓国などとの一連の二国間同盟条約は、冷戦時代に欧州と東アジアを安定させる世界安全保障システムを支えた。

リベラリズムに対するもう一つの主要競争相手は共産主義であった。リベラリズムは個人の自律性を守ることで民主主義と結びつく。それは法の下の平等、政治的選択における広範な権利や選挙権を意味する。ただし、マディソンが指摘したように、リベラリズムは結果の平等をもたらすものではない。フランス革命以降、財産権の保護を約束するリベラル側と強力な政府による富と所得の再分配を求める左派との間で強い緊張関係が続いた。民主主義国家では、この左派は英国の労働党やドイツの社会民主党のように労働運動の隆盛を基盤とする社会主義ないしは社会民主主義政党の形をとった。だが、より急進的に民主的平等を求める者たちはマルクス－レーニン主義を掲げて組織化し、リベラリズムによる「法の支配」を全面的に放棄し、独裁的な国家に権力を委ねようとした。

リベラルな国際秩序を脅かす最大の脅威は一九四五年以降、旧ソ連とその同盟国である東欧・東アジアの共産主義政党から生じた。攻撃的なナショナリズムは欧州では敗北したが、発展途上国では強力な動員力の源泉となり、ソ連・中国・キューバなどの共産主義国家から支援を得た。しかし、ソ連は一九八九年から九一年にかけて崩壊の道をたどり、マルクス－レーニン主義に対する正当性の認識も崩れ去った。鄧小平指導体制の中国は市場経済への転換を図り、元共産主義国の多くがＥＵやＮＡＴＯといった既存の国際機構に加盟したのに倣って、自国をも急伸長するリベラルな国際秩序に統合させようとした。

このように二十世紀後半には、先進諸国全体でリベラリズムと民主主義が概ね広範にうまく共存するようになった。財産権と法の支配をリベラリズムが保障し、第二次世界大戦後の力強い経済成長の基盤を整えた。リベラリズムと民主主義の組み合わせは市場競争によって生じる不平等を緩和し、繁栄を広く享受させることで、民主的に選出された議会による再分配を行なう福祉国家を可能にした。不平等が抑制され、許容範囲に収まり、ほとんどの人々が自分たちの経済状況が改善されていると実感できた。マルクス主義が予言したような、プロレタリアートがどんどんと悲惨な状況に追い込まれていく現象は起きなかった。むしろ労働者階級は収入が増えるのを見て、体制反対派から支持派に転じたのである。一九五〇―七〇年代はフランスでは「栄光の三十年間」と呼ばれ、先進国におけるリベラルな民主主義の全盛期であった。

この時代は単なる経済成長期ではなく、社会的な平等性が高まった時代でもあった。一九六〇年代の公民権運動やフェミニズム革命をはじめとして一連の社会運動が起こり、人間の普遍的尊厳というリベラリズムの原則を守るよう各国社会に迫った。共産主義の社会は人種やジェンダーの問題を解決したかのように装っていたが、西側のリベラルな民主主義体制の国々では、上からの指示ではなく草の根の運動で社会改革が進められたので、より徹底していた。リベラルな社会における権利を持った人々の輪は広がり、そのプロセスには終わりはなく、こんにちまで続いている。

リベラリズムがイデオロギーとして良い影響を与えていることを証明する必要があるのなら、数十年のうちに貧しい発展途上国から先進国になったアジアの国々や地域の成功を見るだけで十分だろう。日本、韓国、台湾、香港、シンガポールを見ると、高度成長期には民主主義的ではなかった国が多いが、私有財産権の保護や国際貿易への開放といった重要な自由主義制度を導入して、グローバルな資本主義システムの恩恵をうけることができた。一九七八年以降に中国で鄧小平が行なった改革（生産責任制や郷鎮企業制など）は、中央政府による計画経済に代わって、限定的な財産権などによって農民や企業家が自らの労働の成果を享受することを認め、リスクをとるインセンティブを与えるものであった。東アジア諸国が米国のような全面的な市場資本主義を決して採用しなかった理由を説明する論考はたくさんある。実際、欧州の資本主義もまた米国とはかなり異なるものである。[9]東アジアでも欧州でも、経済成長を促すうえで国家が果たす役割は米国に比べてずっと大きかった。しかし、そうした「開発国家」が目覚ましい経済発展を遂げるきっかけとなったのは、私有財産などによる動機付けというリベラリズムの仕組みに頼ることだった。

とはいえ、リベラリズムにはいくつもの欠点もあった。外部環境によって引き起こされた欠点もあれば、内在する本質的な欠点もあった。多くの教義やイデオロギーは、啓発的であり真実でもある洞察を核として始まるが、そうした洞察が極端に進められると失敗する。教義が、いわば教条化してしまうのである。

リベラリズムは、その左右両翼によって基本原理が極端なまでに推し進められ、原理自体が損なわれるところにまで至った。リベラリズムの基本的考え方の一つは個人の自律性の尊重と保護である。しかし、この基本的な価値観に行き過ぎもみられる。右派の場合、自律性とは主に、国家に干渉されずに自由に売買する権利を意味した。この概念を極端に推し進めた経済的自由主義は、二十世紀後半に「ネオリベラリズム（新自由主義）」へと変貌し、醜悪なまでの不平等を招いた。以下二章ではこの問題を扱う。左派では、自律とはライフスタイルの選択や価値観に関する個人の自律であり、周辺社会が課す社会規範に対する抵抗を意味した。この道を突き進んだリベラリズムは、現代のアイデンティティ政治へと発展し、寛容というリベラリズム自体の前提を損ないだした。このような極端な形態のリベラリズムが反発を生み、こんにちのリベラリズムを脅かす右翼ポピュリスト運動や左翼の進歩派運動を生む源となっている。

# 第2章　リベラリズムからネオリベラリズムへ

いくつかの重要な領域でリベラリズムの思想は極端なかたちになった。その領域のひとつが経済思想である。経済思想におけるリベラリズムは「ネオリベラリズム（新自由主義）」と呼ばれるものに変容した。

ネオリベラリズムはこんにち、資本主義の蔑称として用いられることもよくあるが、狭義にはシカゴ学派やオーストリア学派、経済学者としてはミルトン・フリードマン、ゲイリー・ベッカー、ジョージ・スティグラー、ルートヴィヒ・フォン・ミーゼス、フリードリヒ・ハイエクらと結びつけられることが多い。彼らは経済における政府の役割を鋭く否定し、成長を促進し資源を効果的に配分するものとしての自由市場の重要性を強調した。これらの経済学者の多くはノーベル賞を受賞し、一九八〇年代にレーガン米大統領やサッチャー英首相が追求した市場を重視し国家介入に否定的な政策を、高尚なかたちで正当化した。そうした政策はクリントン米大統領やブレア英首相といった中道左派の政治家によって引き継がれた。彼らは米英経済の規制緩和と民営化を推進し、二〇一〇年代後半にポピュリズムが台頭する素地をつくった。このような市場主義的なコンセンサスは、若い世代全般に受け入れられていったが、やがてその世代の多くが二〇〇八年の深刻な金融危機、二〇一〇年のユーロ危機とその後に起きた経済的困難に幻滅させられることになった。[1]

一般的には、新自由主義はアメリカ人がリバタリアニズム（自由至上主義）と呼ぶものと結びついていた。リバタリアニズムは手を広げ過ぎた国家に対する敵意と、個人の自由の神聖さへの信奉を唯一の基本的課題としている。リバタリアンはシカゴ学派の経済学者と手を組んで、国家による経済規制を敵視し、政府はダイナミックな起業家や改革者の邪魔になるだけだと信じていた。個人の自由を第一とする彼らは、社会的な問題についても国家の介入に反対していた。数十年の間にほとんどのリベラルな民主主義国家において生まれた、大規模で、さらに拡大し続けると思われた福祉国家を強く批判し、薬物使用や性行為など個人の行動を規制しようとする国家の動きに反対したのである。リバタリアンの中には自分のことは自分で決めるだけだと考える人もいた。より思慮深いリバタリアンは、社会的ニーズを満たすには国家の大きな官僚機構よりも民間の活動による方がいいと主張した。それは民間部門でも市民社会（ＮＰＯ、教会、ボランティア団体など）でもよかった。

レーガン、サッチャーによる新自由主義革命は現実的な問題があって生まれ、それらを解決するものであった。先進国の経済政策は、過去一世紀半の間、極端に両極に振れてきた。十九世紀は無規制な市場資本主義の全盛期で、苛烈な資本主義から個人を保護したり、定期的に発生する不況や恐慌、銀行危機の影響を弱めたりするうえで国家はほとんど役割を果たしていなかった。

それが二十世紀初頭には一変した。一八八〇年代を皮切りに、「進歩派時代」の改革者らが規制国家の基礎を据えだした。全米に敷設が広がっていた鉄道を規制するため州際通商委員会を設立したのが始まりである。シャーマン反トラスト法、クレイトン法、連邦取引委員会法は、独占企業の成長を制限する権限を政府に与えた。一九〇七年の深刻な銀行危機は、米国連邦準備制度の創設につながった。大恐慌は証券取引委員会のような規制機関を過剰なまでに生み出す一方で、年金制度を組織化する社会保障庁も誕生させた。一九三〇年代のグローバル資本主義の危機で、民間市場の役割を抑えて国家の正当性を高め、欧州と北米で広範な規制を行なう福祉国家が隆盛になった。

一九七〇年代までには、振り子は過剰なほどの国家統制に振れていった。欧米経済の多くの部門が過剰な規制を受け、社会福祉制度に多額の資金を投入した結果、多くの豊かな国が爆発的な債務負担に直面することになった。ほぼ切れ目なく三十年近く続いた経済成長の後に、一九七三年の中東戦争と石油輸出国機構（ＯＰＥＣ）によって石油価格が四倍になり、世界経済は急ブレーキをかけられた。世界経済が資源価格の高騰に適応しようとしたため、経済成長は停止し、世界中で急激なインフレが起きた。影響は、発展途上国で最も深刻だった。国際的な大銀行は産油国の余剰資金を途上国に回し、中南米やサハラ以南のアフリカ諸国は債務を増やして生活水準を維持した。だが、この債務が維持できなくなり、次々と国家債務不履行に陥り、雇用崩壊とハイパーインフレに見舞われた。国際金融機関がこの問題の解消策として取り組んだのは、シカゴ学派が提唱した「緊縮財政、為替変動、規制緩和、民営化、国内資金供給の厳格な管理」であった。

米国をはじめとする先進国では、規制緩和や民営化が有益な効果をもたらした。航空運賃やトラック輸送の運賃が下がり始めたのは、政府がやたらに行なっていた価格統制から手を引いたからである。マーガレット・サッチャーが最も英雄視されたのは、アーサー・スカーギル率いる炭鉱労働組合と対決した時であった。英国は当時の経済発展の段階で石炭を採掘する必要はなかった。またブリティッシュ・スチールやブリティッシュ・テレコムのような、民間事業者の方が効率的に運営できる企業を国が所有する必要もなかった。英国が一九七〇年代の惨憺たる十年を経て経済的に復活したのは、新自由主義的な政策によるところが大きい。

しかし、新自由主義政策を極端に推し進めた結果、好ましくない結果も生まれた。市場の持つ優れた効率性についての洞察は妥当であったが、それが宗教のようになり、国家の介入に原理主義的に反対するようになった。例えば、主要な公益事業のように自然独占の場合でさえも民営化が推進され、メキシコのテルメックス社の民営化のような茶番が起きた。この民営化では、公共通信の独占が民間企業に変わり、世界一の富豪カルロス・スリムの台頭を促した。

新自由主義イデオロギーがピークに達した時に崩壊した旧ソ連は、その最悪の影響を被ることになった。世界中の共産主義経済の不振から社会主義による計画経済が信用を失ったのは当然である。中央政府による計画経済が崩壊すれば、市場経済が自然に形成されると多くの経済学者が考えていた。透明性、契約、所有権などに関するルールを強制できる法制度を持つ国家によって厳格に規制されてこそ市場は機能することを理解していなかった。その結果、ソ連経済の大部分は、ずる賢いオリガルヒに食い荒らされ、悪影響は現在もロシア、ウクライナなどの旧共産圏の国々で続いている。

新自由主義は、二十年にわたって高度経済成長を推進しながらも、世界経済を不安定化させ、自らの成功も台無しにする結果となった。規制緩和は、実体経済の多くの分野では有効だったが、一九八〇年代から九〇年代にかけて金融分野に適用されると悲惨な結果を招いた。アラン・グリーンスパン元連邦準備制度理事会（ＦＲＢ）議長をはじめとする当時の経済学者たちは、金融部門は自ら規制することができると考えていた。しかし、金融機関は実体経済における企業とは全く異なる動きをする。製造業とは異なり、大規模な投資銀行は制度的に危険性があり、過度のリスクをとれば経済全体に莫大なコストをもたらす可能性がある。二〇〇八年九月のリーマン・ブラザーズ破綻で世界はそれを目の当たりにした。世界中の何千もの取引先がリーマンと関連を持っていたため、自らの責務を果たせなくなる事態が発生した。決済システムは世界中で機能不全となり、ＦＲＢをはじめとする各国の中央銀行による大規模な流動性注入でやっと救われた。大規模な中央集権国家機関が必要であることを示す事例があるとすれば、まさにこれであった。リバタリアンたちは一九一三年の連邦準備法制定以前は、中央銀行がないまま金本位制に依存していたため、米国を一九〇七年に震撼させたような大規模金融危機が定期的に発生していたことを忘れていた。

いわば、アメリカの新自由主義者たちは、自分で仕掛けた罠にはまったようなものだった。一九八〇年代以降、米国の財務省や世界銀行、ＩＭＦなどの機関は、世界各国に対して資本市場を開放し、投資資金を自由に移動させるよう勧告していた。一九三〇年代の金融危機を契機に導入された資本規制を撤廃しようとしたのである。第二次世界大戦後、一九七〇年代まで世界の金融システムは非常に安定していた。その後、新自由主義思想の影響により流動性が国境を越えて無差別に移動するようになると、金融危機が定期的に発生するようになったのは危険の予兆であった。始まりは一九九〇年代初頭の英ポンド危機とスウェーデンの銀行危機であった。一九九四年のメキシコ・ペソ危機と一九九七年のアジア金融危機、一九九八年と二〇〇一年のロシアとアルゼンチンの国債デフォルトと続いた。

この一連の流れは二〇〇八年のアメリカのサブプライム危機で頂点に達した。グローバル資本が規制の不十分なアメリカの住宅ローン市場に殺到し、再び流出した際に実体経済に壊滅的な打撃を与えたのである。

新自由主義は、自由貿易を支持することでも問題のある結果を招いた。基本的な考え方は正しい。貿易障壁を引き下げた国同士は市場と効率を拡大し、すべての関係者の総所得を増加させることになる。二十世紀後半に東アジアが台頭し、世界の貧困は劇的に減少したが、貿易の拡大なくしてそれはあり得なかった。

しかし、そう唱える自由貿易支持者が、自由貿易によってすべての国のすべての人が恩恵を受けるわけではないと、声を潜めて説明した。特に、豊かな国の低技能労働者は、多国籍企業の海外移転によって、貧しい国の同じような技能を持つ労働者に職や機会を奪われる可能性が高い。この問題に対する当時の最も一般的な対処法は、職を失った労働者に対する職業再教育などの社会的支援による補償であった。クリントン政権は、この種のプログラムを約束することで、北米自由貿易協定（ＮＡＦＴＡ）に対する労働組合の反対を押し切ったのである。しかし、新自由主義の自由貿易論者たちは、貿易推進ほどには時間や労力、財源をこれらのプログラムに割かなかった。新自由主義者の多くは、労働力を最も需要の高い場所に移動させることができれば効率改善になるという理由で、やはり移民受け入れを支持した。労働力の移動が総体としての生活向上になるという考え方も正しかったが、それによる所得分配への影響や社会的反発にはあまり注意が払われなかった。

　これらすべての場合において政治的な問題が生じた。有権者には、「総体としての生活向上」という考え方はない。「自分は失業したかもしれないが、少なくとも中国やベトナムにいる誰か、あるいは自分の国に新しくやってきた移民は、その分ずっと良い暮らしをしている」と考える人はいないのである。また解雇された者が、自分を解雇した企業の経営者の持つ株価やボーナス収入が上がったり、失業保険を使って近所のウォルマートで中国製の安い消費財を買えたとしても、いい気分になるようなことはない。

　新自由主義者たちは、国家の経済介入だけでなく、市場経済がもたらす悪影響と不平等を和らげるための社会政策も批判した。この点でも、困難な状況にある人々を助けようとする政府の政策はモラルハザードを引き起こすことがよくあるという、出発点での前提は誤ってはいなかった。ある行動の影響を緩和するために行なわれるはずなのに、その行動をさらに助長してしまうという考え方である。国が手厚い雇用保険を提供すれば、労働者は本来なら就けるはずの仕事も拒否するようになるかもしれない。大恐慌時代の米国では児童扶養世帯補助制度（ＡＦＤＣ）があり、一人で子供を育てている女性に給付金が支給されていた。当初は夫が働けなくなったり死亡した場合に女性を支援するためだった。しかし、一九八〇年代になると、この制度は、貧しい女性たちが給付金を受け取るためにパートナーとの結婚を避けたり、婚外子を出産したりすることを促すものだとみなされるようになった。歪んだ動機が起こす問題はまだあった。社会保障制度の運営は、多くの国で巨大な官僚機構を生み出し、官僚機構は業績に関係なく保身を図ることに関心を持つようになった。多くの国で、民間部門の労働組合が衰退しているにもかかわらず、公共部門の組合はますます強力になっていった。

このため、新自由主義的な改革者たちによる社会事業の廃止や縮小、官僚の解雇、民間業者や市民団体への事業移管など、政府部門の削減を目指す時代が長く続いた。米国におけるこの動きの典型は、ＡＦＤＣを完全に終了させ、その財源を州の裁量で使える補助金に変えた一九九六年の個人責任・就労機会調整法である。この法律名はまさに根底にある新自由主義的な考え方を示している。世界銀行やＩＭＦなどの国際機関は「ワシントン・コンセンサス」と呼ばれる手法で途上国に同様の政府部門の削減を促し、場合によっては強硬な緊縮財政を強要した。

「自己責任」という考え方は、ある意味で正しい見識に基づいてつくられたリベラルな概念であるが、新自由主義者によって極端なまでに推し進められた。モラルハザードは現実に起きうる。もし働かなくとも政府がカネをくれるなら、人々は働かなくなる。もし政府が（洪水の起きやすい河川流域や火災リスクの高い森林地帯に家を建てるなどの）リスクに対して過度なまでに保証すれば、人々は賢明ではないリスクを冒す。過剰な国家介入に対するリベラルの懸念の根底には、国家への過度の依存が人々の自助能力を弱めるという道徳上の懸念があった。
　しかし、新自由主義者と一部の古風な古典的リベラル派が、この考えを悲惨なまでに極端に推し進めることが定期的に起きた。最も恥ずべき歴史的事例の一つは、一八四〇年代後半のアイルランド飢饉の際、英国が「併合した」アイルランド国民への食糧供給に物資を回すのではなく、穀物輸出を継続するという決定を下したことである。その結果、アイルランドの人口の三分の一が死亡した。その際の英財務次官補チャールズ・トレヴェルヤンの反応は、「自己責任」への信仰が暴走した事例だ。彼は、神はこの大飢饉を「アイルランド人に災難を軽く見過ぎてはならないという教訓を与えるために」命じたのだと書いた。「戦わねばならない本当の相手は、大飢饉という物質的な災厄ではない。自己本位で倒錯し、荒れ狂ったような人間の性格という道義上の悪なのだ」という。[2]
　正しく理解すれば、リベラリズムは国家が提供するさまざまな社会的保護政策と矛盾はしない。もちろん、個人はその生活と幸福について個人で責任を負うべきだが、自分ではどうしようもない脅威に直面することも少なくない。パンデミックの猛威で職を失った人々への政府の一時的な援助は依存心を生むものではないし、国民すべてを対象とする医療保険が人々を怠惰で不摂生にすることもない。多くの人は老後のために十分な貯蓄ができず、また不測の事態で働けなくなることを予期していない。現役時代を通じて貯蓄を人々に強いることは、基本的な自由を侵害するものではなく、長期的には人々の自由に利するものである。

リベラリズムの基本原理では、個人の幸福と人生の結果に個人が責任を持つことが期待されるが、その一方で、個人が不測の事態で不利な状況に置かれた場合には、国家が支援に乗り出すのは当然だと考える。そうした場合の支援の程度は、国家の財政やその他の負うべき責任によって決まってくる。福祉国家として充実している北欧諸国がリベラルな社会であるのは、国家部門が比較的小規模なアメリカや日本と変わりはない。

新自由主義者が政府を敵視するのは、合理性を欠くとしか言いようがない。気象予報から公衆衛生、裁判制度、食品や薬品の安全性、警察や国防に至るまで、市場経済では提供できない公共財を提供するために国家が必要なのである。国家の規模より、はるかに重要なのはその質である。北欧では、人々はしばしば年収の半分以上を税金として納めているが、その見返りとして大学までの質の高い教育、医療、年金など、アメリカ人なら自分の財布で支払わなければならないような給付を受けることができる。それに対して、多くの貧しい国々は、質の低い政府が公共サービスを提供できず、政府が課税して必要な財源を得る能力を弱めるという悪循環に陥っている。政府が肥大化し、動きが鈍く、官僚的になると同時に、過度に弱くなり、必要な公共サービスを提供できなくなることもありえる。リベラルな国家は、法を執行し、個人が繁栄するための基本的な制度的枠組みを提供できる力を持った政府を必要とする。

およそ三十年にわたる新自由主義政策の結果、二〇一〇年代には、総所得はかつてないほど高くなったものの、各国内での格差がとてつもなく広がった世界が出現した。[3] 世界の多くの国では、少数のオリガルヒや億万長者が出現した。彼らはロビイストを使ったりメディア企業を買収したりして経済力を政治的権力に転換することができた。グローバリゼーションは、彼らのカネを低税率の国や地域に移動させることを容易にし、国家の歳入は干上がり、規制を非常に困難なものにした。シリア内戦のような危機によって、二〇一四年には百万人以上の難民が欧州に流入し、欧米の多くの国で外国生まれの人口が増加し始めた。こうしたことすべてが、ポピュリズムによる反発を生み出す原因となった。それが顕在化したのが、二〇一六年の英国の欧州連合（ＥＵ）離脱を決めた国民投票結果とアメリカでドナルド・トランプが勝利した大統領選挙である。

# 第3章　利己的な個人

新自由主義政策は、その直接的な経済的・政治的効果にとどまらず、根底を成す経済理論そのものに深刻な問題があった。これは、この理論が間違っているということではない。すべての理論と同様に、この理論が人間の行動に対する理解を単純化しすぎていたことを思い起こすべきだ。現実は理論が示すよりも常に複雑であるから、理論から導き出される実践的な結論には注意が必要なのである。

例えば、財産権の問題は当初からリベラリズムの教義の中心的なものであった。経済史家ダグラス・ノースらの著作によって、経済学者の間で財産権への関心が一九八〇年代初頭に復活した。ノースは経済成長を説明する重要なカギとなる変数として「制度」（社会活動を調整する持続性を持ったルール）という要因を取り込むことで、開発理論を一変させた（信じがたいことだが、ノース以前の正統派経済成長理論の大勢は、政治や文化など経済以外の要素を考慮に入れていなかったのである）。ノースが制度について論じる際には主として財産権や契約履行を念頭に置いて考えていた。その結果、開発経済学者がこぞって、こうした制度こそ経済成長を探求していく際にカギとなると考えるようになった。[1] 財産権に焦点を当てることには、もちろん重要で核心的な真実があった。旧ソ連、キューバ、ベネズエラなど、私有財産の全面的な国有化を行なった国は、技術革新と成長に大きな問題を抱え込むことになった。政府によって勝手に取り上げられると思えば、誰も真剣にビジネスにお金を投資しない。ただ、財産権にのみ焦点を当てれば、発展がすぐさま実現できるわけでもないし、公正な社会にたどり着けるわけでもない。［経済学者］ディアドラ・マクロスキーが述べているように、十七世紀以降のヨーロッパの爆発的な経済成長にとって、同時期に起きたブルジョア的社会価値への移行や科学的方法の発展といった他の要因に比べて、財産権の確保こそがカギであったとノースが実証的に証明しているわけではない。[2]

さらに言えば、既存の財産権を強力に擁護することが正当化されるのは、もともとの財産の分配が公正であった場合に限られる。多くの経済学者は暗黙のうちにジョン・ロックの前提から説き起こしている。人間が誰も住まない「無主の地（*terra nullius*）」に定住し、その労働力を「自然の無価値なもの」に注ぎ込んで、人間にとって有用な財産を作り出すときに私有財産が発生するという。しかし、その財産が当初において暴力や窃盗によって獲得されたものであった場合はどうだろうか。農耕社会は、まさに領土を征服した戦士を祖先とする貴族が所有する巨大な領地を基盤としていた。その土地は農民によって耕され、農民は凶作があったり病気になれば借金をし、返済が滞ると、その地方の領主が定めた規則に従って資産を差し押さえられるのである。このような財産所有の形態は、パキスタンからフィリピンまで現代の各国における経済成長と民主主義の発展に大きな障害となってきた。一方、アメリカの指導を受けた日本、韓国、台湾は、一九四〇年代後半に大掛かりな土地改革を行ない、大規模土地所有を解体した。このような財産の再分配が、その後の経済的成功の基礎となり、リベラルな民主主義の成功を可能としたことは広く認められている。

私有財産の起源に関するロックのような考え方は、米国をはじめ、カナダ、オーストラリア、ニュージーランド、アルゼンチン、チリなど、かつて「新開拓地」と呼ばれた地域でも疑問視されている。これらの地域には、ヨーロッパ人が新たに入植したのは事実だが、さまざまな先住民の祖先がそれより一万二千年前に移住していた。これらの人々は、殺され、奴隷にされ、土地を追われ、詐欺にあい、あるいはヨーロッパから持ち込まれた病気で死んでいった。これらの先住民には、地籍調査、土地登記、裁判制度などを通じたヨーロッパ型の財産権に類したものはほとんどなかった。むしろ、牧畜民や狩猟採集民として、今日でいうところの入会権(いりあい)、用益権、アクセス権を享受していたのである。

ヨーロッパ型の財産権によって土地の生産性が向上し、その結果、土地を奪われた人々を含むすべての人々の生活水準が向上したことは疑う余地がない。しかし、結果は必ずしも手段を正当化するものではない。先住民は、土地が近代的な私有財産に変換されたことで、彼らの生き方をすべて失った。土地よりずっと大切なものを失ったのである。

新自由主義経済理論のもう一つの系統には、本質的な問題点があり、非常に深刻な政治的問題を引き起こすことになった。それは、消費者の利益を経済的幸福の究極の尺度につりあげ、独占禁止法や貿易といった政策領域に影響を与えた。この考え方は、シカゴ学派と密接に結びついていた。アーロン・ディレクター、ジョージ・スティグラー、とりわけ法学者ロバート・ボークである。

一八九〇年にシャーマン反トラスト法が成立して以来、アメリカの政策立案者は、巨大企業（あるいは「トラスト」）が自国の民主主義に与える影響を懸念してきた。その後百年にわたって、米国司法省と連邦取引委員会は、市場支配力を行使して競争を抑圧する大企業に対して反トラスト法違反の訴訟を起こしてきた。さらに、ルイス・ブランダイス判事に連なる学派もあって、彼らは、シャーマン法には小規模生産者の保護といった政治的目的もあると考えた。

法学者で、のちに連邦政府の訟務（しょうむ）長官となったロバート・ボークは、反トラスト法の目標はただ一つであるべきで、それは価格または品質という観点から理解される消費者利益の最大化であると主張した。[3] シャーマン法は政治目的をもってつくられたものではないので、消費者利益を最大化するというような唯一計測可能な目的を持たなければ、反トラスト法として一貫性がなくなると論じた。大企業は中小企業より効率的だから大きくなったのであって、政府がその成長を妨げてはならない、とも主張した。そして、シカゴ学派の仲間たちとともに、数十年にわたって経済学者や法学者を説得し、消費者利益基準を独占禁止法事件処理における経済的成果の唯一の尺度として受け入れさせることに成功した。その結果、大企業や巨大合併に対する政府の姿勢は極めて緩やかなものとなった。

消費者利益基準によって、ある分野の経済紛争を解決するのに有用な方向性が法制度に生まれるという点では、ボークは間違ってはいない。ただ、例えばウォルマートやアマゾンが市場に参入し、多数の零細小売業者の生活を脅かし、零細小売業者が競争からの保護を求めてきたら、どう判断すべきだろうか。消費者利益の基準から言えば、巨大小売業者は同じ商品をはるかに安い価格で販売しているのだから、零細小売業者は道を譲らざるを得ないということになる。現代の経済学では、小売業者は店を閉め、時間と資本をより生産性の高い別の活動に再投資することが求められる。［シカゴ学派に対峙する］ブランダイス学派には、消費者と小売業者がゼロサム闘争を繰り広げる中で、消費者側の剰余利益をどのように配分するかについての明確なルールがなかった。

しかし、多くの社会は経済効率を犠牲にしてでも小規模生産者を保護することができるし、実際にそうしているのである。消費者利益以外の社会的利益があると考えるからだ。

例えば、フランスや日本ではそのように考えて、アメリカの巨大企業の市場参入を阻止しようとした。何千というカフェがスターバックスによって廃業に追い込まれたら、たとえスターバックスでより安く、おいしいコーヒーを飲めるとしても、フランスはより豊かになれるのだろうか。小さな寿司屋や天ぷら屋が、アメリカ式の大型レストランチェーンに取って代わられたら、日本の生活の質は向上するだろうか。ウォルマートのような大型量販店、さらにはアマゾンのようなネット通販によって繁華街の小売店が駆逐されてしまって、アメリカは豊かになれたのだろうか。これは技術進歩により避けられないことなのかもしれないが、消費者利益と引き換えに地域社会や生活様式のような無形の利益を失うことについては、民主的な手続きを経て選択するべきだと考える人もいるかもしれない。その選択がどのようになされるかを規定する経済理論はないかもしれないが、民主的な政治論争を通じて決定することは可能である。経済的効率性が他のすべての社会的価値に優先すべきだという理由はない。

消費者利益には経済的福利の基準としては問題がある。なぜなら、福利の見えない側面を捉えることができないからだ。こんにちの大規模インターネット・プラットフォームは、消費者に無料でサービスを提供するかもしれない。だが、消費者が気づかないうちに、承認も与えていないような方法で、プラットフォームが個人情報にアクセスすることになる。

この政策的な課題の根底には深い哲学的な問題がある。それは、人間は、消費量によって幸福が測られる、単なる消費する動物なのか、それとも、創造力を行使して自然をつくり変える能力によって幸福度が決まる、生産する動物なのか、ということである。現代の新自由主義は明らかに前者だとしている。だが、人間は消費する動物であると同時に生産する動物でもあり、人間の幸福はその両者のバランスのどこかにあると主張する系譜もある。哲学者ヘーゲルは、人間の自律性はその労働、すなわち与えられた自然を変える能力にあると主張した。それは、近代世界において奴隷に尊厳を与え、奴隷を主人と対等にするものであった。カール・マルクスは、この考えをヘーゲルから受け継ぎ、人間は消費すると同時に生産する動物であるとした。

共産主義社会は、消費よりも生産を重視する傾向があり、悪い結果を生んだ。「社会主義労働英雄」がいても、店の棚に食糧がないありさまだった。新自由主義の台頭により、振り子は反対側に大きく振れた。海外の安価な労働力に職を奪われたアメリカの労働者は、それでも中国から輸入される安価な商品を買うことができると言い訳された。だが、共産主義的に、消費より生産重視に戻りたいという人はまずいないだろう。では、自国の労働と生活の尊厳を維持するためなら、消費者利益を多少犠牲にしてもいいと思うだろうか。新自由主義思想の覇権のもとでは有権者に提示されなかった選択肢である。[4]

これは、われわれが考えているほどのジレンマではないことがわかるかもしれない。「フランスの」経済学者トマ・フィリポンは、アメリカの消費者物価が全体として、二十年前と比べて高くなっているのは、まさにアメリカが反トラスト法を用いずに、大企業が競争を抑制することを許してきたからだと論じている。[5] 産業の独占や寡占化には、それ以外にも悪い影響がある。大企業は財力があるから、大勢のロビイストを雇い、現状での優位を固定化する。大企業の主要事業が政治的言説を形成するニュースや情報である場合、民主主義にとって深刻な問題となる。それが、ツイッター、フェイスブック、グーグルといった大規模インターネット・プラットフォームが特別な監視の対象となっている理由である。[6]

二十世紀後半に根付いた新自由主義思想には、新古典派経済学の主流とは異なる集合行為のモデルを提供するもう一つの流れがあった。それは、ルートヴィヒ・フォン・ミーゼスとフリードリヒ・ハイエクによるオーストリア学派が推進した自生的秩序論であった。特にハイエクは、われわれが自然界に見る秩序は、鳥にさえずりを教え、蜂に蜂蜜をつくらせた神による設計の結果ではなく、むしろ、原子や分子のランダムな進化の相互作用を通して出現し、それが最終的には、細胞から多細胞生物、さらにはこの世界に生息する植物や動物へと、複雑さを増しながら存在の鎖を構成していると考えた。人間の社会秩序もこれと同じようにして出現し、個々の人間が相互作用し、成功した社会集団は遺伝的ではなく文化的に自己増幅し、悪い結果をもたらす集団は消滅していったと主張した。その好例が市場の進化であり、そこでは個々の買い手と売り手が無計画に相互作用することで、相対的な希少性を知らせる価格を生み出し、それによって中央計画経済では決してなしえないほど効率的に財を配分していた。さらにハイエクは、イギリスのコモン・ローが大陸法よりも優れているのは、法律専門家が中央から指示するのではなく、「判例」(*stare decisis* 先例拘束性)の原則のもと、無数の分散した裁判官の判断から発展してきた点だと主張した。[7]

ハイエクは、市場の配分効率が持つ優位性については正しかった。彼は、一九四〇年代に、当時のもう一人の偉大な経済学者であるヨーゼフ・シュンペーターと、市場と中央計画経済のどちらが優れた経済システムであるかについて有名な議論を行ない、本質的意味で勝利したのである。彼の思想は、他の人々に受け継がれた。一九九〇年代にインターネットが普及すると、多くのテクノ・リバタリアンが自生的秩序という考え方に取り憑かれ、あらたに出現するデジタル世界をその見事な産物と見なした。サンタフェ研究所などで精緻化された複雑系理論は、自己組織化という考え方を定式化しようとし、鳥の群れから始まり先住民コミュニティに至るまでが、政府の恩恵を頼ることなく資源の共有を上手に行なっているように、秩序は中央計画に頼らない方法で生まれることについて真剣な洞察を生み出した。[8]

だが、こうした理論は極端になりかねない。ハイエクもテクノ・リバタリアンも、国家を敵視した。国家は人が自己組織化を図る際に邪魔になることが多いと考えたからだ。しかし、この敵視は、経験則よりもイデオロギーに基づくものであった。多くの経済学者が認めるように、市場が提供できない公共財は数多く存在する。たしかに硬直した計画経済は自らを蝕むが、それでも国家はしばしば援助や調整機能を果たし、例えば日本や韓国のように高度成長期には経済成長を促進させた。インターネットそのものは自生的な秩序の産物ではない。その基礎となる技術は、米政府が主に国防総省を通じて半導体や集積回路、TCP/IPなどのネットワークプロトコル義務付けなどに投資を行なった結果として生み出された。米政府によって民営化されると、インターネットは分散型ネットワークではなく、急速に二、三の巨大企業によって支配されるようになった。そうした大企業の力に対抗し、なんとか成果を生み出せるのは政府だけである。

つまり、財産権、消費者利益、自生的な秩序の中心に関する考え方は、その経済、政治、道徳的帰結を見てみると、新自由主義の教義が示すほどにははっきりとしていない。しかし、現代の経済学には、シカゴ学派も提起していない深い問題がある。それは、現代の新古典派経済学すべての基礎となる基本モデルにまでさかのぼる問題である。

現代の経済学は、人間は「合理的に効用最大化を図る者」であり、個人の利己的な利益を最大化するために相当の認識能力を使うという前提のもとに成り立っている*。当然ながら、人間が欲深なのは普通で、自己本位で頭が働くから、物欲への刺激に対して経済学者が言うとおりの反応を示す。個人的な物欲への刺激を生むことができなかったため、共産主義の中央計画経済は大失敗となった。中国では、集団農場で働く代わりに、農民が生産責任制のもとで自分の家の圃場から得られる収益を確保することを認めたところ、小麦の生産量は四年間で五千五百万トンから八千七百万トンに増加した。[9]

しかし、このモデルの重要な部分には深刻な欠陥があり、我々の日常的な経験とはかけ離れたものである。人間が実際に合理的であるかどうかについては後の章で論じるとして、理論の「最大化」の部分については、ハーバート・サイモンから現代の行動経済学者まで、批判する者たちが疑問を呈してきたところである。しかし、今はこのモデルの別の側面に注目したい。それは、人間は何よりもまず個人として行動するという仮定である。

経済学者は、この個人主義という前提の上に、社会的行動の理論全体を構築しているのである。集団行動の経済理論は、個人が集団となるのは、主に個人の利益を最大化するためであり、自然にそなわる社会性からではないと主張する。ここでも、この仮定はいくつかの重要な洞察をもたらす。一九六五年にマンサー・オルソンの『集合行為論』が出版される以前には、人は自然に協力しあうものだと考える研究者が多かった。[10] オルソンは、人には集団が提供する便益を享受するために集団に参加しようとするインセンティブがあると指摘した。たとえば、国防や通貨安定などである。しかし、集団の規模が大きくなり、個々のメンバーの行動を監視することが困難になると、これらの便益にただ乗りしようとするインセンティブも働く。これが、仕事をサボったり、脱税したりする行動を説明する。

オルソンの本が出版されて以来、個人がどのような条件下で集団での協力に同意するかを理解するために、膨大なゲーム理論が適用され、その中には真に有用な洞察をもたらしたものもあった。このように個人主義を前提として用い、大規模な階層的組織における人々の行動を説明する「プリンシパル・エージェント理論」と呼ばれる経済理論は大きな存在となった。この理論は特に、価格を設定するために企業がいつ協力するかを決めたり、債券トレーダーがリスク特性の変化に対してどのように反応するかといった、狭い意味での経済行動に適用される。しかし、結局のところ、人間の行動全体を理解する方法としては、根本的には不十分なのである。

人間はしばしば利己的な個人として行動するが、同時に極めて社会的な生きものであり、仲間からの支援や承認がなければ、個人としての幸福感を得られない。合理性や物質的欲望よりも、感情によって動かされる。プライド、怒り、罪悪感、恥などの感情は、すべて社会的規範の共有と関係している。社会的規範の具体的な内容は文化によって決定されるが、規範に従うという人間の性質は、救いようのない反社会的人間を除けば、すべての人

＊経済学者の中には、「効用」という機能を拡張解釈して、利他主義やその他の社会的配慮行動を単に個人選好の一形態として含めようとする人もいる。この場合、同語反復的な理論になり、事実上、人間は自分がしようとすることは何であれしようとする、というに等しい。

に遺伝的に組み込まれているのである。このことは、遊び場にいる幼い子どもたちの行動にも見られる。子どもたちは親から教わらずとも、遊び仲間の暗黙の規範に違反したときに恥ずかしさや気まずさを感じる。また、孤立した人々が感じる激しい苦痛や憂鬱の中に、人間の生活の社会的側面を見ることができる。これは、最近のコロナ禍で友人や同僚と距離を置かざるを得なかったことで、誰もがまざまざと知ったことである。

したがって、人間の「効用関数」には、物質的な嗜好以外にも多くのものが含まれる。また、人間は尊敬を受けたいと切望する。つまり自分の価値や尊厳について他の人間が与えてくれる「間主観的」な承認を求める。実験経済学の有名なゲームに「最後通牒ゲーム」というのがある。このゲームでは、二人のプレイヤーがお金を分け合う。一人目のプレイヤーは好きなように分け、二人目のプレイヤーは一人目のプレイヤーが割り当てた分け前をすべて受け取るか、あるいはすべて拒否するかを選択できる。このゲームを繰り返し行なうと、ほぼ均等に分けられた場合には、二人目のプレイヤーはほぼ毎回その分け方を受け入れるが、分配金がある割合以下になると、分け方が不公平なためにお金を受け取らないことが非常に多くなることがわかる。これは、プレイヤーが単に自己利益を最大化するためであれば不合理な選択であるが、プレイヤーにプライドや自尊心があると仮定すれば納得できる。

また、人間は自分にだけでなく、宗教的信条や社会的ルール、伝統などの外的なものに対しても敬意を払うように求める。たとえ個人にとってはコストの高い行動になろうとも、それらへの敬意を求めるのである。これはつまり、人は特定の安定した選好を持つと見なす基本的経済モデルが示唆するようなかたちで、人間が自己利益を「最大化」することはありえないことを示している。人は事前予測が不可能な方法で、相容れない複数の欲望かららどれかを選ばなければならない。これが人間の自律性の本質である。人は常に、物質的な自己利益と、尊敬、誇り、原則、連帯などの無形の財との間で、基本的な効用最大化モデルでは対応できないようなやり方で選択をする。このことは、特に組織において顕著である。組織では通常、個人の自己利益を単純に計算するのではなく、仲間によって設定された期待に沿った行動を取る。もし人間が単純な効用最大化機械であったら、戦闘に参加することもなければ、投票する時間さえ割こうとしないだろう。

したがって、リベラリズム理論の基礎となる個人主義の前提は間違ってはいないが、不完全なものである。長い歴史的視点に立てば、個人主義とは何世紀にもわたって進化してきたものであり、現代の自己理解の中心となっている。[11] 人類の社会的発展の初期段階において組織形態が、群れ、親族集団、部族が主であった時代には、ほとんどの人間は固定した社会集団に固く縛られており、個人の好みを表明する機会がほとんどなかった。経済的な選択だけでなく、どこに住むか、誰と結婚するか、どんな職業に就くか、どんな信仰を持つか、といった決定にも自律性はなかった。しかし、過去千年の間に起きた近代化プロセスによって、人々はこうした社会的制約から徐々に解放されていった。

家族の中における個人主義は、あらゆる個人主義の原点であった。伝統的な社会では、親族関係が社会秩序の支配的な構造原理である。個人の選択を制限するルールを確立したのは、統治機構ではなく親族であった。拙著『政治の起源』で説明したように、拡大親族集団がその力を失うのは、ヨーロッパが最初である。中世初期にカトリック教会が遺産相続ルールを変更したことで、親族集団が相続について決める権限は弱まった[12]。ローマ帝国に侵入したゲルマン人は父系部族で構成されていたが、キリスト教への改宗によって、こうした部族の絆は急速に解体され、より契約的で個人主義的な支配と従属の関係、すなわち封建制度と呼ばれるものに取って代わられたのである。ヨーロッパの法律は、親族集団ではなく個人が財産を売買したり相続したりする権利を正式に保護するようになり、これらの権利は男性だけでなく女性にも拡大された。このような傾向はイングランドで最も顕著であり、当然のことながら、イングランドは近代個人主義の発祥の地となった。

したがって、イギリスが近代資本主義の発祥の地であることは、決して偶然ではない。近代市場は、取引に情実を交えないことに依拠している。主に近親者との売買を強いられると、達成を期待できる経済規模や効率は限られたものになる。裁判所や仲裁人のような第三者による財産権や契約執行の制度は、市場の範囲を広げ、見知らぬ者同士が取引することを可能にすることを目指している。そのため、経済的個人主義がもたらす経済成長は、資本主義が世界に広がる大きな原動力となった。

この時点で、逆方向に歩みを変え、近代個人主義を後戻りさせようと考えるのは不合理であり、それは過去千年以上にわたる人類の歴史を逆行させることになる。リベラルな個人主義は、人間の社会性を排除したり否定したりするものではない。単に、リベラルな社会における社会的関与は理想としては自発的であることを意味する。他の人と一緒になることはできるが、どんな集団に入るかは、可能な限り、個人の選択に委ねられる。これが、私たちの周りに見られる市民社会を作り出している。リベラリズムや個人主義が生まれた西洋だけでなく、近代化の過程にある地球上のすべての社会で、個人の選択を擁護するというリベラリズムの中核となる約束は、現代人も強く望んでいる。しかし、人間は本来社会的な生きものでもあるので、この拡大する個人主義は常に両義的な意味を持って受け止められてきた。個人は「社会」によって課された厳しい制約に常に憤慨しながらも、同時に共同体や社会的連帯の絆を渇望し、個人主義の中で孤独と疎外感を感じてきたのである。

新自由主義経済学の問題は、誤った前提から出発したことにあるのではない。その前提は多くの場合は正しい。ただ、単に不完全であり、歴史的にみると偶然であったことが多い。新自由主義経済学の欠陥は、こうした前提を極端なところに持っていき、財産権や消費者利益を崇拝し、国家の活動や社会的連帯をあらゆる面で軽視したことであった。

# 第4章　主権者としての自己

個人の自律性は、経済的自由を第一義に考える右派リベラリズムによって極端なまでに追求された。しかし、左派リベラリズムもまた、個人の自己実現を中心とした別のタイプの自律性を重視し、極端なまでに貫徹したのである。ネオリベラリズム（新自由主義）が過度な不平等や金融不安によってリベラルな民主主義を脅かす一方で、左派リベラリズムは現代のアイデンティティ政治へと発展し、リベラリズムそのものの前提を崩し始めた。自律の概念は社会的結束を脅かすかたちで絶対化され、そのために進歩的な活動家は社会的圧力と国家権力を利用して自分たちの活動目的に批判的な声を封じ込めるようになったのである。

個人の自律性の拡大は、二つの領域で行なわれた。第一は哲学的な領域で、個人の自律性の意味は、確立された道徳的枠組みの中での選択から、枠組みそのものを選択する能力へと着実に拡大された。第二は政治的な領域で、自律は個人のためではなく、個人が組み込まれた集団のための自律を意味するようになった。これらの展開のうち、第一の方は、自律性を人間にとって他のすべての価値よりも絶対化するものであり、第二の方は、リベラリズムが強調する人間存在の普遍性や寛容の必要性など、リベラリズムの根底にある前提の一部に異論を唱えることになった。

西洋の思想では、自律性、すなわち選択は、人間を人間たらしめる特性であり、それゆえに人間の尊厳の基礎となるものであると、長い間理解されてきた。これは、創世記のアダムとイブの物語から始まる。アダムとイブは神の命令に背き、「善悪の知識の木」の実を食べてしまい、エデンの園から追放された。誤った選択をしたために、この原罪は、以後、人類に苦痛と労苦を強いることになる。しかし、この原罪は、元の無垢な状態にはなかった道徳的な選択能力を人に与えるものだった。この選択能力は、人間に道徳上の中間的な地位を与えるものであった。人間は、動植物と違って、選択することができ、単に自然に振り回されるだけではないので、他の創造された自然よりも高い地位にあるとされた。だが間違った選択をすることがあるので、神よりも低い地位にあるのだとされた。聖書の物語では、人間の選択能力は道徳律そのものをつくるまでには及ばず、単にそれに従うまでであり、神だけが善悪の本質を決定する能力を持っている、と付け加えてもよいだろう。

創世記の物語には、人間の本質に関する非常に深い洞察が含まれている。私たちは、すべての人間の子どもの成長において、無邪気さから善悪の知識への移行を見ることができる。幼児が泣いたり、おむつを濡らしたりしても誰も責めない。子どもはある意味、道徳的な知識を持たずに生まれ、本能のままに行動するのである。しかし、幼児から大人へと成長する過程で、善悪の観念に触れ、道徳心が芽生え、選択できるようになる。世界各地の異なる文化や法制度では、成人への移行に関してさまざまな年齢が設定されているが、どの文化圏でも、成人にはその規則に従う責任が課されている。個人の選択は、家族、友人、社会経済的地位など、子どもが育つ環境によって大きく制約されるだけでなく、個人ではどうしようもない遺伝的要因によっても制約されると知っている。多くの法制度は、社会が規則を破った者にどう対処するかにあたり、こうした外生的な要因は処分を軽減する条件になるとみなしている。しかし、こんにちにおいても歴史上でも、社会の構成員がそれによっていかなるかたちの個人的責任からも広く免除されるとは決めていない。世界のあらゆる法制度は、人々が自らの行動に対して責任を負うような個人の選択の範囲が存在するという概念に基づいている。

このユダヤ・キリスト教に根ざす考え方は、マルティン・ルターによってさらに展開され、プロテスタント宗教改革の教義的な基礎となった。ルターは、キリスト教の本質は信仰だけであり、それは信者であっても達成が難しい内的状態であるとした。信仰は、カトリック教会が定めた儀式や規則に個人が適合することではないと考えた。これが、社会から見える外側の自己とは異なる、閉ざされた内なる自己の存在に関する、ルター以降の考え方の基礎を築いた。

　内なる自己という考え方は、西洋のキリスト教に限られたものではない。例えば、ヒンズー教は、内なる魂は長い時をかけてさまざまな肉体を渡り歩くことができるという考えに基づいている。しかし、ほとんどの社会は歴史的に、内なる自己の欲望を表現することよりも、確立された外部のルールに適合することを優先してきた。ルターが行なったのは、内と外の価値観を変えることであった。カトリック教会の構造は間違っているかもしれず、信仰を持つ個々の信者こそが正しい。プロテスタントは、聖書を読む個々の信者が、神の言葉について自分自身で結論を出すことを中心に構築された。これが教会に対する革命となり、ヨーロッパは一世紀半にわたってキリスト教信仰のあり方をめぐる宗教戦争に突入した。

　ルターは自己の内面を重視したが、それによって自己が何を選択してもよいということにはならなかった。ルターは、人間には選択の力があるが、それは神の言葉を信じるか否かの力である、というキリスト教の枠組みの中にとどまった。その後、何世紀かをかけて啓蒙思想家たちは、教会だけでなく、宗教そのものの権威を疑問視するようになる。選択という行為は、選択されるものの内容とは別のものであり、より価値のあるものとみなされるようになった。フランス革命の頃には、ルターのキリスト教の自由は「人間の権利」に発展していった。これらの権利は、選択と結びついていたが、選択が埋め込まれていた宗教的な枠組みからは切り離されていた。

外面よりも内面を重視する立場に宗教とは違う表現を与えたのが、ジャン・ジャック・ルソーの著作である。ルソーは、人間の悪はすべて、自然状態の中で幸福だが孤立していた個人が、社会に集まったときに始まったと主張した。ルソーは、アダムとイブが贖い(あがない)を必要とする原罪を犯したとする聖書の物語を逆手に取り、人間は本来善良な存在であり、社会に出て、互いに比較するようになって初めて悪人となるのだと主張した。しかし、人間は「自己改善能力」を持ち、今でいう文化的な環境によって左右されるのではなく、本来の善を取り戻す選択ができると論じ、現代思想の基礎となる考え方を提唱した。それは、人間は深く隠された内面性を持っているが、人を取り巻く社会が課す幾層もの社会的ルールによってそれが窒息させられている、というものである。彼の言う「自律」とは、そのような本来の自己を取り戻し、それを封じ込めている社会的ルールから逃れることを意味していた。

近代リベラリズムの自己理解に決定的な影響を与えた、もう一人の啓蒙思想家はイマニュエル・カントである。カントは、ルソーの自己改善能力の思想を取り上げ、それを自身の道徳哲学の核心に据えた。『道徳形而上学原論』の冒頭で、無条件に善であるのは善意だけであり、道徳的な選択をする能力こそが人間らしさを際立たせるものだと述べている。人間はそれ自体が目的であり、決して他の目的のための手段として扱われるべきではない。

この考え方には、人間は道徳的選択を行なう能力を基礎として、神の似姿としてつくられた、というキリスト教の人間観の世俗的な反響を見ることができる。しかし、キリスト教の自由とは異なり、カント的道徳は、啓示された神の言葉ではなく、抽象的な理性のルールに根ざしている。カント的道徳は、リベラルな普遍主義と平等主義の基礎となった。たとえ国籍が異なろうとも、人は道徳的な選択を行なう能力を等しく持っていると考える。すべてのキリスト教信者が平等に扱われるように、この等しく尊厳ある立場は、すべての人々が等しく尊敬をもって扱われなければならないことを意味し、その尊敬は法のシステムを通じて形式化される。

カントは、人間が求める特定の目的や「善」よりも、選択という行為そのものを優先させた。彼は、この優先順位の根拠を政治的対立の本質に関する経験的観察においたのではない。むしろ、この優先順位は、彼の形而上学から直接出てきたものである。カントは現象の世界と対象自体の世界を分ける。前者は、通常の経験によって私たちに示される世界であり、感覚、記憶、知覚による混沌を、時間と空間で分けることにより人間の主体によって組織化したものであった。対象自体の世界は、目的の領域であり、物理学の決定論的な法則に支配されない、個々の「選択する主体」が存在する領域である。その選択主体は、家族、社会的地位、所有物といった特定の属性に先立つものであった。カントが導き出した道徳的規則は、人は目的そのものとして扱われるべきで、決して目的のための手段としては扱われないという規則など、先験的な仮定から導かれる理性の規則であり、いかなるかたちの経験的観察からも導かれないものであった。このような道徳的推論へのアプローチは、いかなる存在論とも、人間が実際に追求する目的を特定する人間性についての実体論とも結びついていないため、「義務論的」と呼ばれることもある。

英米のリベラリズム理論のアプローチは、義務論的なものではなかった。トマス・ホッブズは、『リヴァイアサン』を人間性について明示する理論から始めており、さまざまな人間の情熱を並べて示し、暴力的な死への恐怖を人間にとっての「悪」の頂点に位置付け、彼の説く社会契約によってその恐怖を軽減しようとする。ホッブズの「自然状態」の説明は、実は人間の本性についての理論を比喩的に述べたものである。ホッブズの説明は、ジョン・ロックが『統治二論』で示したものとは異なるが、どちらも人間が追求する実質的な目的の階層を明確に説明した上で、その理論を構築している。彼らの自然権論は、トーマス・ジェファーソンによって継承された。ジェファーソンは、「すべての人間は平等に造られている」という「自明」な命題に基づいて、アメリカの独立を主張したのである。

今日、ホッブズ、ロック、ジェファーソンの自然権論を信じていると公言する論者はほとんどいない。時を経るにつれてリベラルな社会では、人間の実質的な目的を他の目的に優先させて措定することへの抵抗が高まってきた。むしろ、最も優先されるのは選択行為そのものである。英米のリベラリズムの伝統は、イマニュエル・カントの欧州大陸型アプローチに収斂し、ジョン・ロールズ（ハーバード大学教授）の『正義論』となって体現され、同書が現代リベラリズム理論の代表的な表現となった。[1]

ロールズはカントと同様、人間の本質に関する実質的な理論や、人間が実際に求める目的についての経験的な観察に基づくことなく、リベラルな社会のルールを導き出そうとした。カントと同様に、正義は善に優先する、つまり、善の選択を保全するルールは、個人が求める特定の善に優先する、と主張したのである。しかし、ロールズは、カントの形而上学や、現象界から切り離された直観領域における前提に依存することは望まなかった。その抽象的なルールに到達するための工夫が、「原初状態」の概念だった。それは、社会における自分の実際の立場を一切知らされていない状態に置かれてはじめて、個人がその社会の公正なルールについて合意できる状況になる、という概念であった。この「無知のヴェール」の向こう側では、社会的に最も弱い立場にある者に不利なルールを選択する者はいないだろうと、ロールズは主張した。自分が最も弱い立場の者に属するかどうかを、前もって知ることができないからである。さらに、人間の主体は、財産、富、社会的地位、性格、あるいは遺伝的資質といった属性とは別のものであり、これらはすべて恣意的に配分された偶発的な事実であると論じた。この考え方が、ロールズがリベラルな社会において広範な福祉国家を正当化するための基礎となるものである。彼は、財産や天賦の才能といった偶発的な属性は、社会全体の共有財産であり、最も恵まれない人々の利益のために再分配することができると主張した。

ロールズのリベラリズムは、現代におけるリベラリズム理論の議論の中心となっており、特に学術界や司法界において、リベラル派の間では支配的な自己理解であり続けている。経済的リベラリズムからネオリベラリズムへの移行と、ロック・ジェファーソン的リベラリズムからロールズ的リベラリズムへの発展には一種の並行がある。どちらの場合も、根底にある強力な思想（前者においては自由市場の利点、後者においては個人の自律の価値）が維持不可能なまで広げられた。ロールズの場合、問題は自律性を絶対化し、「選択」を人間にとっての他のすべての善よりも高く評価したことにある。こうした絶対化は、理論的に好ましくないだけでなく、リベラルな社会において問題あるかたちで展開してきた。

一九七一年の『正義論』の初版刊行以来、さまざまなロールズ批判が現れたが[2]、その中でも最も顕著なものは、ロバート・ノージックのようなリバタリアン思想家による攻撃である。ロールズは個人が物理的意味での所有物ばかりか、生まれながらの能力についても「所有」することはないと主張している、とリバタリアンらは論じた[3]。もう一つの重要な批判は、アラスデア・マッキンタイア、チャールズ・テイラー、マイケル・ウォルツァー、マイケル・サンデルといった、いわゆる「コミュニタリアン」思想家によるものであった。彼らはロールズが善よりも、選択する自己と正義に対し与えている絶対的優先度に異を唱えている[4]。

マイケル・サンデルはロールズのリベラリズムを、最終的に私たちから「意味」をすべて奪い去る解放のプロジェクトだとして、次のように述べている。

> 義務論的世界とその中で動く独立した自己が一緒になって、自由になるためのビジョンを示している。自然の摂理や社会的役割の制約から解放された義務論的主体は、主権者として設定され、道徳的意味の決定者として役割を担う……独立した自己として、われわれは……習慣、伝統、世襲的地位によるなんらの制約なく目的を自由に選べるのである。それが不当なものでない限り、私たちの善の概念は、それが何であれ、単に私たちがそれを選んだという事実によって、重みを持つのである。[5]

しかし、それまでの忠誠や約束から切り離された自律的な自己は、「理念的に自由で合理的な主体を考えるのでなく、人格も道徳的深みも全くない人間を思い描くことになる」のである。

正義の優先に異議を唱える人々は、正義は善と相対的なものであって、独立したものではないと主張する。哲学的な問題として、正義に関する我々の考察は、善い生き方の本質や人間の最高の目的に関する考察から合理的に切り離すことはできない。政治的な問題として、正義と権利に関する我々の考察は、これらの考察が行なわれる前提である多くのさまざまな文化と伝統の中で表現される善の概念に言及することなしに進めることはできない。[6]

こうした抽象的な議論を簡単な例で説明することができる。現代の自由主義社会に生きる二人の個人を比べてみよう。一人は男性で、ビデオゲームに明け暮れネットサーフィンをし、裕福な家族からもらう援助で生活している。高校卒業がやっとだったのは、資力がないとか、障害があるとかいう理由ではなく、単に勉強が嫌いだからだ。大麻を吸うのが好きで（彼の州では合法化されたばかり）、時事問題（どころか一般的に文字を読むこと）には興味がなく、フェイスブックを見たりインスタグラムに人を腐すようなコメントを書いたり、オンラインで商品を買って時間をつぶすのが好きだ。ソーシャルメディアで人とつながることはあっても、そうしてできた友人たちと深く付き合ったり、助けてやったりはしない。目の前で起きた交通事故の被害者を助けてほしいと頼まれても、その場から立ち去るタイプだ。

もう一人は女性で、高校を卒業してコミュニティカレッジに進学したが、母子家庭で母は学費が賄えないため、働きながら勉強している。社会問題に関心を持ち、時間の許す限り新聞や本を読んでいる。将来は四年制大学を卒業し、弁護士か公務員になりたいと考えている。人柄はおおらかで、幅広い層の人々と深い交友関係を持ち、不当に訴えられたと思われる人々のために、危険を冒して支援活動をしてきた。この女性も最初の方の男性も、周囲の人々が自分と同じような選択をしても敢えて引き留めようとはしない。

ジョン・ロールズの正義論に従えば、公的機関や私たちがこの二人を裁き、女性の方が男性より道徳的に優れていると言うことを許さないだろう。二人とも自分で決めた人生設計に従っている。ロールズならば、二人の人生設計は、育った家族や近隣関係、親から引き継いだ遺伝的要素など偶然性の高い社会的要因に大きく影響されていると主張するだろう。その意味で、彼らは完全な自律的主体ではなく、偶然性の強い要素の影響を大きく受けており、そのことが彼らの選択の違いの理由だとロールズは説明するだろう。これらの人々が、他の人々の自律的な行動を妨げようとしない限り、より高い位置に立ってこの二人の相対的な価値を判断することはだれにもできない。ロックのリベラリズムが異なる善の概念に対して寛容であるように、ロールズのリベラリズムは他者の人生の選択に対して判断を下さないことを良しとする。むしろ、違いや多様性そのものを、抑圧的な社会的制約からの解放として肯定する傾向がある。

もし、ここに例示した二人が人種や国籍、宗教的伝統の点で異なっていたなら、そうした要素は二人にとって選択の余地はないのだから、リベラルな国家は二人を差別してはならないという点でロールズは正しい。しかし、この二人の違いは人格なのだ。つまり、公共心を持ち、寛大で、思慮深く、周囲の人々と意義あるつながりを持ち、勇気があり、情報に通じていて、教育によって自己を向上させることに関心を持っている度合いなのである。人格は、個人が意図的に育成することができるものであり、個人の自律性の重要な一部である。このような美徳の行使は、リベラルな共和政体の重要な要件であるように思われる。実際、J・G・A・ポーコックによれば、マキャベリの『政略論』に始まり、大西洋を渡ってアメリカの建国者の一部の思想に影響を与えた、ひとつの伝統がある。その伝統では、よく構成された共和国は公共心を持った市民を中心として築かれなければならず、そうした市民の人格の中身次第で共和国は生き残るか衰退するかが決まるという。[7]

ロールズの主張に従えば、人の性格、例えば、公徳心があるか利己的かは、自律した内なる自己に内在するものではなく、文化や遺伝によって決まる偶然な属性であり、肌の色や家庭の宗教的環境と何ら変わらない。ロールズによれば、カントと同様に、教育を受けたい、あるいは教育を受けた人々と一緒に社会で暮らしたいという願望は善のひとつの願望であって、他の願望や正義の要件に対して特に優先されないことになる（実際、カントは、別のところでは教育を受けた市民を肯定しているため、この問題については矛盾していると批判を受けている[8]）。

ロールズのリベラリズムは、社会全般で一斉に起こっていた自己の内面の解放と、個人の自律性の領域に関しての理解が拡大し続けることを、哲学的に正当化した。一九五〇年代には、アメリカでもヨーロッパでも、広く社会的コンセンサスが見られ、人々はそれに従っていたという点で高度なレベルに達していた。アメリカでは、共和党がニューディールと福祉国家を受け入れるようになり、政策に関する考え方は民主党とかなり重なり合っていた。ヨーロッパでは、強力な福祉国家の必要性について広範な合意があり、ドイツとフランスでは中道右派のキリスト教民主主義政党からの意見を多く取り込んで、福祉国家が建設された。アメリカでは、主流派プロテスタントやカトリック教会への帰属率が高く、五〇パーセントのアメリカ人が定期的に教会に通っていると答えている。[9]

しかし、こうした表面上の社会的順応の下で、新しい知的潮流が形成されつつあった。人々の目標を決めるのは既成の教会でなく、「自己実現」への必要性であった。自己実現を重視するのは、ルソーの説く「内なる自己」、つまり真の存在が社会的規制によって窒息させられ、抑圧されているという考え方の現代的な現れと見ることができるだろう。社会心理学者のアブラハム・マズローは、自己実現を人間の欲求の頂点に据え、家族や社会的連帯といった一般的な関心事に優先させた。[10] その考え方は、当時新たに生まれ急成長していた心理療法士の業界から支持された。心理療法は、プロテスタントの牧師やカトリックの教区司祭に代わって、問題を抱えたり疎外を感じている人々に社会的な慰めを与えるようになっていた。

一九五〇年代のビート世代と六〇年代に出現したカウンターカルチャーは、人間の潜在能力の実現を妨げる最大の悪として、社会への順応性を標的にした。この反乱は政治にも及び、主流派リベラルの改良主義的な政治に挑戦する新左翼が登場した。主流派リベラルの政治がアメリカをベトナム戦争に巻き込んだからだ。ヨーロッパでも似たような政治の急進化がみられ、たとえば一九六八年にはフランスの象徴であったドゴール大統領の辞任につながる数々の出来事が起きた。

アメリカでは、一九六〇年代の社会的混乱に対する政治的反発が急速に起こり、六八年にリチャード・ニクソンが大統領選挙で大勝し、七二年に再選を果たした。ベトナム戦争敗北とウォーターゲート事件でアメリカでもヨーロッパでも既存の制度に対する人々の嫌気が募ったが、それが一九八〇年代にレーガンやサッチャーといった新世代の保守派指導者の台頭を阻むことはなかった。次の世代になると、大学キャンパスは落ち着きを取り戻し、学生は社会問題や政治よりも就職先確保とキャリアアップに集中するようになった。

レーガン主義の主要な政策は、リベラリズムによる個人の自律性の別の側面に焦点を当てたものであった。民間市場の規制から国家を排除し、経済的自由を最大化するというネオリベラリズムの方針である。しかし、国家や集団行動という考え方を容赦なく攻撃することで、レーガン主義は既存の制度から正当性を奪い、人々は政府が持つ潜在的な役割に対し一層の嫌悪感を抱くようになった。レーガンは大統領在任中、個人的な人気を保っていたが、社会全般に広がる不信感はこの時期から激しく高まり始めた。[11]

表面を覆う社会的、政治的な保守主義によって、水面下で起こっていた大きな変化は見えにくくなっていた。自己実現への欲求は消えたわけではなく、政治や明らかな反体制文化活動から、より深く個人的なものへと転換されたに過ぎない。タラ・イザベラ・バートンはこの変化を「リミックス宗教」と呼んでいる。制度的な宗教への帰依は、個人の選択を基準にして、数多くの断片から選んで組み立てることができる「直観的」宗教に取って代わられた。[12] 多くのアメリカ人はキリスト教を、ヒンズー教や仏教などのさまざまな東洋宗教で補ったり、まるまる置き換えたりした。それは主流派の教会では不可能に見えた精神性への道を与えてくれた。また、何百万人もの人々が、ヨガや瞑想といった形で、水割りされたようなヒンズー教を実践し、内なる自己の回復に直接的に専念するようになったのである。彼らは、体操や心の健康のためにそうしているのだと信じていたが、深く隠された自己を回復することこそが究極の幸福の源であるという考えを無意識のうちに信じていた。

このような内なる自己の探求には、「ウェルネス」や「セルフケア」のような動きや、有機食品の摂取といった実践を通じて健康に重点を置くような、別の側面もあった。もちろん人は自分の体をケアする必要があるが、「ウェルネス」は多くのアメリカ人にとって精神的な意味を持つようになり、自社の製品が体だけでなく魂をも健やかにすると消費者に信じさせ、それで金儲けをしようとする企業によって積極的に宣伝されるようになった。

バートンが一例として挙げた「ソウルサイクル（SoulCycle）」は、単なる有酸素運動ではなく、その宣伝の文面などによれば、より良い人間（「反逆者、英雄、戦士」）になるための道であり、かつて伝統的宗教が提供していた共同体の感覚を提供するエクササイズ・スタジオである。その他にも、マインドフルネス講座や瞑想アプリ、セルフケア商品などがあり、健康食品、オーガニック食品、スキンクリームなどが「本物の自分」を取り戻し、守るための手段として販売されている。一九五〇年代から六〇年代にかけて、精神的な苦痛を癒す存在としてセラピストが牧師や神父に取って代わり始めたとすれば、二〇〇〇年代にはインターネット上の「インフルエンサー」の台頭が、助けを求める相手としてセラピストに取って代わることになった。

セルフケアやウェルネスといった運動は、ルソーが提唱した自己の内面の「充実」を現代的に表現したものに過ぎない。その自己は善であり、自己の回復こそが人間の幸福の源泉である。しかし、その自己は外部社会によって汚染されてしまった。外部社会は農薬や人工香料の入った不健康な食品をわれわれに与え、不安や自信喪失を引き起こす目標や期待を設定し、競争衝動によってわれわれの自尊心を損なわせる。神を崇拝するのではなく、われわれ自身、すなわち疑いや不安によって隠されてしまった自己を崇拝する必要がある。ちょうど、マルティン・ルターにとって隠されていた神のように。他者からの誤った尊敬を求めるのではなく、自分自身を尊重する必要がある。これこそが、最終的にわれわれに主体性を与え、自分の人生をコントロールすることになる、というわけだ。

ロールズのリベラリズムは、抑圧的な社会による支配から個人の選択を守るためのプロジェクトとして始まった。ロールズがジェレミー・ベンサムなどの思想家が主張した功利主義的なリベラリズム批判を狙っているのは明らかだ。そうした功利主義は、より多数の善が個人の権利に優先すると主張している。ロールズが善よりも正義を優先させたのは、伝統的宗教が主唱するような体制の考え方から、反体制的な個人を保護したいという願望に根ざしたものであった。現代のリベラルな社会でロールズを読んだ人はほとんどいないが、彼の考え方はさまざまな形で大衆文化に浸透し、アメリカの法制度にも影響を与えている。私たちは、家族から職場、政治権力に至るまで、多くの既存の制度によって自由を制限されている内なる自己があると信じている。多くの場で、異論は称賛され、断定的であることは批判される。選択の自由は、確立された道徳的枠組みの中で行動する自由だけでなく、枠組みそのものを選択する自由にも及んでいる。

ロールズの正義の原則に反して他の個人の自己実現を妨げない限り、ヨガ、健康ダイエット、ソウルサイクリングなど、さまざまな方法で個人が自己実現しようとする社会のどこに悪い点があるのか、と人は考えるかもしれない。どうして、それがリベラリズムの思想の実現ではなく、リベラリズムを脅かすものなのだろうか。

この問いには二つの答えがある。第一は、個人の主権を信じることによって、リベラリズムが共同体への関与を弱める傾向が深まるからだ。特に、リベラルな政治制度全体を維持するために必要な公共精神などの美徳から人々を遠ざけてしまう。政治に広く関与するよりも、家族や友人といった、トクヴィルが言った「小さな共同体」の中に閉じこもってしまう。

第二の問題は、第一のものとは正反対である。多くの人は、個人主権を自由に行使できるといわれても、それで満足することはないだろう。ロールズが指摘するほどには自己の内面は独立しておらず、人種差別や家父長制といった外的な力によって厳しく制限されていることを認識することになる。自律性は、個人によって行使されるのではなく、彼らが構成員である集団によって行使される必要があるのだ。理性的な個人は「原初状態」の原則に同意するというロールズの主張は、人間の合理性に対する過大評価であり、経験的に誤っているように思われる。[13]「価値観」に対してあくまで中立であろうとするようなリベラリズムは、やがてリベラリズムそのものの価値を問うことで自らに牙をむき、リベラルではない何かになっていくのである。

# 第5章　リベラリズムが自らに牙をむく

拙著『アイデンティティ』で説明したように、私たち一人ひとりが、尊敬と承認を必要とする真正な内なる自己を持っているという考えは、西洋思想において長い間存在してきた。そのようなアイデンティティは多様であり、複数存在し、遍在している。一方、「アイデンティティ政治」は、人種、民族、ジェンダーといった固定的な特徴に焦点を当てる傾向がある。これらの特徴は、個人を構成する多くの特性のひとつというよりも、自己の内面を構成する本質的な要素であるとみなされ、社会的な承認を必要とする。

世界には、アイデンティティ政治が顕著に見られる地域が数多く存在する。バルカン半島、アフガニスタン、ミャンマー、ケニア、ナイジェリア、インド、スリランカ、イラク、レバノンなどは明確に区分された民族や宗教集団に分かれており、それらの小さなアイデンティティへの忠誠が大きな国民としてのアイデンティティよりも優先されることが多い。そうした社会では、アイデンティティ政治がリベラリズムの実現を困難にしている。集団承認の要求を調整するために用いられる政治戦略については、第9章で述べる。

アメリカでは、アイデンティティ政治は左派から始まり、アフリカ系アメリカ人、女性、同性愛者などの周縁化された集団が、一九六〇年代に始まった一連の社会運動で平等な承認を要求し始めた。* アイデンティティ政治は、これらのコミュニティの権利を向上させるのに役立つ強力な動員手段であり、個々人がいかに不正や不平等な扱いを受けてきたかを知り、同じ集団の他のメンバーとの共通点を理解するための方途であった。

アイデンティティ政治は、当初、法の下における平等は普遍的であり人間の尊厳は等しく保護されると説くリベラリズムの約束を実現するために登場した。しかし、実際のリベラルな社会は、嘆かわしいまでにこの理想を実現することができなかった。南北戦争後、「法の下の平等などを定めた」憲法修正第十三条、十四条、十五条が成立した後も、アフリカ系アメリカ人は差別され、極めて不平等な機会しか与えられない状態が合衆国の多く

*白人のアイデンティティ政治も長く存在してきた。クー・クラックス・クランは、ネイサン・ベッドフォード・フォレストのような南軍の敗残兵によって設立され、彼らは、南部は「北部の侵略戦争」で不当に征服されたが、白人は戦後も自分たちの人種の優位性を主張する必要があると信じた。しかし、南部とその境界地帯の外では、ほとんどの白人アメリカ人は、自分たちを何よりもまず、犠牲となった白人としてではなく、たまたま白人であるアメリカ人にすぎないと見ていた。

の地域に根強く残った。ほとんどのリベラルな民主主義国家で一九二〇年代まで女性は投票権を持たず、六〇年代までほとんどの職場から排除されていた。同性愛はほとんどの民主主義国家で犯罪とされ、ゲイの男性やレズビアンはさらに長い間、社会的に隔離されたままであった。国際的には、世界の大半の地域で植民地支配が第二次世界大戦後まで続き、それを主導していたのはイギリスやフランスなどのリベラルな大国だった。

女性は、大昔以来、セクハラからレイプなどの暴力まで、さまざまな悪条件に耐えなければならなかった。一九六〇年代に始まった労働市場への女性の大量参入により、こうした状況は深刻な局面に至った。#MeToo 運動が台頭するまで、こうした不正はほとんど個人レベルで耐え忍ばれていた。この運動は、ハッシュタグが示すように、ハラスメントが幅広い層の女性に共通する経験であることを明らかにした。このような共有体験についての意識変化が、女性と男性のかかわりに関する法律や規範を変えようとする政治運動の原動力となった。同様に、アフリカ系アメリカ人は、逮捕や投獄の犠牲となる割合が不釣り合いに高かった。また同等の犯罪に対してより長い刑期を受け、白人が経験しないような警察官による呼び止めや身体捜検といった、日常的な侮辱を長い間受け続けてきた。民主的な政治システムにおいて、このような不平等な扱いを是正する唯一の方法は、政治的行動である。黒人も白人も、市民は人種差別の本質を理解し、それに対抗する政治的行動を要求するために動員されなければならない。

このように考えると、アイデンティティ政治は、リベラルな政治目標を完成させ、「カラーブラインド（人種偏見のない）」な社会を実現しようとするものである。一九六〇年代の公民権運動は、そうした旗印を掲げ、人種差別的な法制度を終わらせ、公民権法や投票権法のような大きな法改正をもたらした。活動家たちは南部全域で差別的な法律に異議を唱え始め、警察や自警団の残忍な対応が世論の怒りに火を付け、運動は規模を拡大していった。マーティン・ルーサー・キングのような運動指導者の目標は、単純にアフリカ系アメリカ人が、法の下の平等を定めた憲法修正第十四条が保障する広範な国民に完全に含まれるようにすることであった。

しかし、時がたつにつれて、リベラリズムが自らの理想を実現できないという批判は、リベラリズムの思想自体と、その教義の根本的な前提に対する批判へと変わり始めた。この批判は、リベラリズムの個人主義重視、道徳的普遍性の主張、資本主義との関係を標的にした。

近年、アメリカでは「批判的人種理論」をはじめ、エスニシティ、ジェンダー、性選好などに関する批判理論をめぐって、騒がしい争いが起きている。現代の批判理論家は、じっくりと議論する真面目な知識人であるというよりも、大衆受けを狙った政治主張をしているだけであり、批判理論に対する右翼の批判者（大多数は批判理論について一切読んだことがない）はさらにたちが悪い。批判理論はリベラリズムの基本原理に対して真剣かつ持続的な批判を行なったものであり、この理論の起源に立ち返ることが重要だ。極端な批判理論は、リベラリズムの実践に対する批判から、リベラリズムの根本をなす本質に対する批判へと移行し、リベラリズムを捨てて非リベラルなイデオロギーに置き換えようとしている。ここでも、リベラリズムの思想が、破綻するまで極端に解釈されたといえる。

批判理論の先駆者のひとりがヘルベルト・マルクーゼである。彼の一九六四年の著書『一次元的人間』とエッセイ「抑圧的寛容」は、後の批判理論の道しるべとなった。マルクーゼは、リベラルな社会は実際にはリベラルではなく、平等も自律性も守られていないと論じた。むしろ、資本主義的なエリートが支配し、消費者文化をつくり上げ、一般人をそのルールに従わせるように仕向けた。自由は蜃気楼であり、その蜃気楼は根本的に異なる社会を創造することによってのみ克服されるものだと論じた。

そして、個々の自由と他の自由との間のこのような調和を可能にするという課題は、**既成の**社会における競争相手の間や、自由と法律、一般利益と個人利益、共通利益と私的利益の間の妥協点を見つけることではなく、人間が、自己決定を最初から無効にするような制度の奴隷にならない社会を**作る**ことである。[1]

同様に、言論の自由は絶対的な権利ではなく、現状を擁護する抑圧的な勢力によって行使される誤った種類の言論は許容されるべきではない、というのである。[2]

マルクーゼは、当時の多くの新左翼の急進派と同様に、従来の労働者階級は潜在的な革命勢力ではなくなり、むしろ反革命的になってしまった——労働者は資本主義に買収されたようなものだ、と主張した。さらに、マルクーゼは、人間の解放を求める闘争の一要素として「性」について論じた。[3] それによって、マルクーゼは、二十世紀と二十一世紀の進歩主義の分岐点における重要な橋渡し役となった。二十一世紀の進歩主義は、ブルジョワジーとプロレタリアートといった広範な社会階級ではなく、人種、民族、ジェンダー、性的指向に基づく狭義のアイデンティティ集団の問題として不平等を定義するようになっていった。

リベラリズムの基本原理に対する体系的な批判は、いくつかの明確な要素を持っていた。まず第一は、リベラリズムという教義の根本的な前提である個人主義の否定だ。マルクーゼのように、進歩的な批評家たちは、既存のリベラルな社会では、個人は実際には個人の選択を行使することができないと論じた。ホッブズ、ロック、ルソーのようなリベラリズムの理論家、あるいはロールズの説く「原初状態」が想定したのは自然状態における孤立した個人であり、そうした個人が自発的に選択して社会契約を結び、市民社会を生み出す。[ペンシルベニア州立大学の]ジョン・クリストマン教授の言葉によれば、

困った問題ではあるが、近代の西洋の政治哲学は、広義にリベラリズム理論と称さ

れるものに支配されており、そうした文脈で語られるため、人間存在のモデルは基本的に個人主義的存在であると想定してきた……。さらに、公正な政治における市民像には、人種、ジェンダー、性、文化など、実在の個人の多くが自分を説明する際に直ちに言及するような社会的アイデンティティの符号を具体的に言及することはない。リベラリズムの伝統では、典型的人間の特性を描写するにあたり、過去や現在の他者や「彼」の外部の社会的要因との本質的なつながりは考慮されない。[4]

チャールズ・W・ミルズのような初期の批判理論家たちは、ある人種による他人種の支配こそが不正の最大の歴史的原因の一つであるのに、ロールズは正義論で特にそのことを扱っていないと非難した。[5] もちろん、これはロールズの方法論の特徴であって欠陥ではない。彼が言う原初状態は個人からすべての「偶然に備わった」特徴を取り除いたものであるからだ。しかし、それらを取り除いて残る自律的主体が薄っぺらなのは、この理論の重大な弱点であった。この点で、ミルズはロールズに対する「コミュニタリアン」の批判者たちの一部となっており、人種、性別、性的指向といった個人の特定の属性に先立ち、選択を行なう個人というものは存在しない、と主張したのである。

さらに、リベラリズムの批判者たちは、個人主義が西洋の概念であり、他の諸文化の共同体的な伝統とうまく合致できないとしている。個人主義は、東アジアや南アジア、中東、サハラ以南のアフリカにおいては、ヨーロッパや北米と同じように根付くことがなかったことは間違いない。すなわち、個人の人権の普遍性というリベラリズムの信念は、図らずも他を顧みないヨーロッパ中心主義を露呈している。

この原初的な個人主義に対する批判から始まって、批判理論家たちは、リベラリズムが集団の重要性を認識していないことも指摘するようになった。リベラリズムの理論では、個人が家族、会社、政党、教会、市民社会組織などの集団に、すべて自発的に組織化されることを前提とする傾向があった。しかし、現実の社会は、人種や性別など自分ではコントロールできない特性によって、自発的ではない集団へと組織されており、そうした事実を、リベラリズムの理論は考慮していないという批判がある。［フェミニズムの哲学者］アン・カッドの言葉を借りれば、

私たちは社会集団に属する個人であり、その中には自ら選んで属する集団もあれば、属したいかどうかにかかわらず属する集団もある。しかし、社会科学者、哲学者、理論家はしばしば、これらの一方または両方の種類の社会集団を無視し、矮小化し、否定して、社会生活のそうした姿をよく見えないようにしてきた。[6]

リベラリズムには、すべての集団への帰属は自発的だと考える傾向があり、それは新古

典派の経済学者が採用したような集団行動理論に直接根付いている（第3章で触れた）。集団が存在する理由は唯一、所属する個々の成員の利益を増進するためである、という理論である。これとは対照的に、批判理論は、最も重要な集団は、ある集団が他の集団を支配した結果としてできた、と主張した。

この見方に関連して、リベラリズムは文化的集団に十分な自律性を与えることができず、他の伝統を持つ多様な人々にヨーロッパの価値観に根ざした文化を押し付けようとしたという告発がなされたのである。集団は、単に被害者意識によってではなく、彼らを結びつける深い文化的伝統によって定義されるとみなされた。リベラルな多元主義は、個人の自律性だけでなく、社会を構成する文化的集団の自律性をも認めなければならないことになった。文化的自律性とは、教育、言語、習慣を統制する集団の能力のことである。さらに、特定の集団が、その起源と現在のアイデンティティをどのように理解するか。その物語を統制する能力も必要だ。

リベラリズムに対する第三の批判は、契約理論の使用に関係するものであった。ホッブズ、ロック、ルソー、ロールズはいずれも、公正な社会が構成員の自発的な合意によって形成される社会契約について明確に言及している。もちろん、それぞれに違いはある。ホッブズは個人が自発的に王政に服することができると考え、ロックは契約が被支配者の明示的な同意によって承認されなければならないと考えている。しかし、いずれも契約の当事者は選択をすることのできる個人であると仮定している。

フェミニズム学者のキャロル・ペイトマンは、『社会契約と性契約』の中で、古典的なリベラリズム理論における自発性についての前提を厳しく批判している。彼女は、初期の社会契約論者の多くが奴隷契約の正当性を信じていたことを指摘する。弱い個人が、奴隷として生きるか、強い人間の手にかかって死ぬかの選択を迫られた場合、自発的に奴隷になることを選択できるというのが奴隷契約だ。ペイトマンの主張は、マルクス主義者が資本主義社会における「未組織労働者」の概念を批判するのと重なる。非常に異なるレベルの力を持つ個人間で結ばれた契約は、一見自発的であっても公正とは言えない。彼女は、このことが特に性的関係に適用されると指摘した。ジョン・ロックは『統治二論』の中で、ロバート・フィルマーの家父長制論を攻撃したと伝統的に信じられている。この家父長制論は、家族に対する父親の権威を明確に君主の権威の根拠としていた。しかし、ロックは、政治社会を家族という自然社会から切り離し、前者は自発的で合意的であるのに対し、後者を自然で階層的なままにした、とペイトマンは主張した。こうして形成された新しい政治社会は、男子だけを解放するものであると論じた。

性的権利ないしは婚姻の権利、原初の政治的権利は、それにより完全に隠蔽されることになる。この隠蔽はあまりにも見事に行なわれたため、現代の政治理論家や活動家は、私的領域においても二人の大人の間の契約関係を含んでいる――その起源はそこにある――ことを「忘れる」ことができる。彼らは、現代の家父長制においては、女性は息子とは異なり、自身の「未成人状態」と男性の「保護」から抜け出すことはないという事実に対し何の驚きも感じない。私たち「女性」は男性と同じ基盤に立って市民社会で交流することはない。[7]

女性は契約から除外され、市民社会に組み込まれることはない。なぜなら、女性は「市民としての個人になるために必要な能力を自然に欠いている」からである。[8]

チャールズ・ミルズは、この契約理論に対する批判を、ジェンダーだけでなく、人種にも拡大した。合衆国憲法は、新しい国を設立する明示的な契約であったが、それはアフリカ系アメリカ人を市民権から排除し、人口に応じた下院議員数の各州への割り当てに使う際にも、あからさまに一人を五分の三人として数えていた。ミルズは、性的契約の場合と同様に、こうした排除も、アメリカの白人市民が自分たちが白人であることは祝福と敬意に値すると考える意識の中に覆い隠されていたと論じた。[9]

リベラリズムに対する第四の批判は、リベラリズムの教義は最も強欲な資本主義の形態と切り離すことができず、それゆえ、搾取と著しい不平等を生み続けるだろうと主張した。これまでに第2章と第3章では、「ネオリベラリズム（新自由主義）」は、米国をはじめとした国々の特定の歴史的局面において優勢となった、経済リベラリズムの特定の解釈であると主張してきた。［左派の歴史学者］サミュエル・モインらは、この関係は偶発的なものではなく、必然的なものであると論じている。個人主義と財産権を重視するリベラリズムは、必然的にネオリベラリズムにつながるという。[10]

批判理論家たちは、リベラリズムは植民地主義と密接な関係にあり、ヨーロッパによる非白人諸民族の支配にも責任があるとして、リベラリズムを激しく非難した。フランツ・ファノンのような著述家が唱えたポストコロニアル理論は、非西洋の人々や彼らの視点を軽んじる西洋の文化的優越の態度を攻撃した。[11] さらに、植民地主義と資本主義を結び付けた。ポルトガル人、続いて英国人は、十六世紀から十七世紀にかけて、北大西洋を横断する三角貿易のシステムを確立し、砂糖、ラム酒、のちには綿花を、工業製品や奴隷と交換するようになった。英国の産業革命を起こすのに重要な役割を担った綿製品は、米国南部の奴隷が綿花を刈り取って生まれた。[12]［インドの作家］パンカジ・ミシュラは、インドやアルジェリアのように植民地化された国々で、リベラリズムがいかに悪臭を放つようになったかについて書いている。そうした国々では、ジョン・スチュアート・ミルやアレクシ・ド・トクヴィルといった代表的なリベラリズムの思想家は、ヨーロッパによる他民族の支配を支えたと見られた。ミシュラによれば、西欧のリベラル派がリベラルな価値観の普遍性と、その前提となる自律した個人という人間の基本形を信じたのは、彼らが征服した地域のまったく異なる文化的伝統や前提に気づかなかったからにほかならない。[13]

リベラリズムに対する最後の批判は、実質的というよりも手続き的なものである。リベラルな社会は憲法が定める抑制均衡（チェック・アンド・バランス）によって権力を制限しているため、政策や制度を変更することは非常に困難である。そうした社会は変化をもたらすために熟慮と説得に頼るが、これらはせいぜい遅い乗り物であり、最悪の場合、現前の不正を正すのに恒久的な障害となる。公正な社会を実現するためには、富と権力を大規模かつ継続的に再配分する必要があるが、現在の富と権力を持つ者たちはこれに激しく抵抗することになる。したがって、政治権力はこうした抑制均衡の制度を犠牲にして行使されなければならない。

批判理論の大部分は、このようにして、リベラリズムの偽善や自らの原則に従わないことを非難するだけではなく、この教義の本質を非難している。批判理論から派生したさまざまな理論はマルクーゼの議論の変形を利用している。表向きのリベラルな体制は実はまったくリベラルではなく、現状を支配し利益を得る隠れた権力構造の利権を反映しているという。リベラリズムが資本家、男性、白人、性的多数派といった異なる支配的エリートと結びついていることは、歴史の偶発的事実ではない。むしろ支配はリベラリズムの本質であり、これらの支配的集団がイデオロギーとしてリベラリズムを支持する理由なのだ、と主張する。

しかし、これらの批判はいずれも的を射ておらず、連座制で罪を問われているに等しい。リベラリズムに対する上記の批判はいずれも、その教義が本質的にどのように間違っているのかを示すことができない。例えば、リベラリズムがあまりにも個人主義的であり、リベラリズムはヨーロッパ社会の歴史に偶発的に現れた特性であるという批判がある。第3章では、この批判が、現代の新古典派経済理論に対して向けられるなら正当である理由を説明した。同理論は、個人の自己利益を最優先するのは人間の普遍的な特性だと論じるからだ。しかし、人の性格には自己中心的な個人主義的側面だけでなく、社会性を持つ側面もあるという事実は、より広くリベラリズムを理解すれば容易に受け入れることができる。

人間の社会性には実に多様な形態があり、実際のリベラルな社会では、それらすべてを発揮することが許されている。社会が豊かになり、人々の日常における私的な繋がりはどんどんと増え、その繋がりから生まれる力の余剰を社会的志向を持った活動に充てることができるようになる。現代のリベラルな国家には、自発的な市民社会組織の幾重にも重なるネットワークがあり、その成員や広くは政治的共同体に対して、コミュニティ、社会サービス、推進活動を広く提供している。リベラリズムは共同体の中心としての国家の成長を妨げてきたわけでもない。福祉国家や社会保障の諸制度は十九世紀後半から大きく発展し、多くの自由民主主義先進国では国内総生産（GDP）の半分近くを費やすまでになった。

個人主義の歴史的なルーツはヨーロッパの限られた地域にあり、それは近代リベラリズムの出現より千年近くも前のことである。第3章で述べたように、個人主義は、カトリック教会が導入した離婚、内縁関係、養子縁組、いとこ婚を禁止する一連の規則の上に成り立っている。そうした規則の結果、広い親族の繋がりによって何世代にもわたって財産を保持することは困難となった。

しかし、個人主義が「白人」やヨーロッパ人が持つ特徴であるとは言い難い。人類社会の永続的な課題のひとつとして、社会組織の基盤の一部となっている血縁関係を超えて、より中立的な社会的相互関係の形態へ向かう必要性がある。欧州以外の社会の多くでも親族集団の力を削ぐため、さまざまな方策をとってきた。例えば、中国やビザンチン帝国では宦官を、マムルーク朝やオスマン帝国では捕らえた奴隷を教育し、能力によって選んで、家族を持つことを禁じ、兵士や行政官として育てた。能力主義とは、明らかに不適格な仕事のために自分のいとこや子どもを雇う必要性を回避し、目下必要な任務を達成するために最も適した個人を選ぶ、有効な方策のひとつに過ぎないのである。

現代の多文化主義の推進者の中には、標準試験で実務的に測定される量的・質的推論能力は、少数派人種に対して文化的なバイアスがかかる、と指摘する人もいる。さまざまな活動において相対的に、ある人種や民族が他の集団より優れた成果を上げるという事実は、文化が成果の重要な決定要因であることを示している。しかし、この問題の解決は、成功の基準そのものを切り下げることではなく、成功を阻むそうした文化的障害を是正することにあるはずだ。

能力主義が白人アイデンティティ重視やヨーロッパ中心主義と何らかの関連があるという見方は、現代のアイデンティティ政治の偏狭さを反映している。能力主義や標準試験制度が、他の非西洋的な教育制度にルーツを持つのは明らかだ。中国において試験が採用されたのは、激しい軍事競争の圧力にさらされた統治者が、試験なしでは有能な副官や行政官を採用できないことに気づいたからである。秦はそうした近代的な試験を用いて、紀元前二二一年に中国を統一し、その後の中国の王朝のほぼすべてで、そうした試験が実施されるようになった。若者を競争的な統一試験に向けて準備させることは、中国文化における最も古く、深く根付いた伝統の一つであり、西洋の国家行政制度において標準となる何世紀も前に採用された。中国の統治者たちは、近世ヨーロッパの統治者たちと同様の構造的問題や国際環境に直面し、地理的な隔たりや文化の違いにもかかわらず、似たような社会制度を考案していたわけである。

リベラルな個人主義は西洋文明の偶然の歴史的副産物かもしれないが、いったんそれがもたらす自由に触れれば、さまざまな文化の人々にとって非常に魅力的であることが証明された。さらに、現代の経済生活は、伝統的な社会を特徴づけている窮屈な共同体の結びつきから個人が自由になることが基礎となっており、近年、何百万人もの人々がそうした伝統社会から逃れ、より大きな経済的機会だけでなく、より大きな個人の自由を与えてくれる地域を目指した。

これに関連して、リベラルな国家はさまざまな集団を承認することに失敗してきたという批判があるが、これは大きくとらえれば間違いである。リベラルな国家は、多種多様な団体を承認し、法的地位を与え、時には財政的な支援も行なっている。しかし、人種、民族、ジェンダー、伝統文化など固定化された特徴に基づき自発的でなく形成された集団に基本的権利を付与することには消極的である。このように消極的であるのには、それなりの理由がある。こうした自発的に形成されるのでない集団は、多様な個人を抱え込んでおり、そうした個人の利害やアイデンティティは、グループ全体が持つ利害やアイデンティティとは非常に異なっている可能性がある。代表性の問題も深刻だ。アフリカ系アメリカ人、女性、同性愛者といったカテゴリーを代表して発言するのは誰なのか、という問題である。

多文化主義とは、異なる文化的背景を持つ人々が共に暮らす多様な社会の現実を表現しただけの、比較的中立的な名詞であると言える。個人の自律性は集団アイデンティティを選択することにつながることも多い。リベラルな社会はその選択の自由を保護する必要がある。アメリカ、オーストラリア、カナダなどのリベラルな社会では、大都市では文化的多様性が非常に高く、生活に興味深い豊かさを与えている。

しかし、リベラリズムの原則にそぐわないタイプの文化的自律性もある。多くのイスラム系移民のコミュニティは、女性や同性愛者、信仰を離れたい人を、個人の自律性に関するリベラリズムのルールを尊重しない形で差別している。その典型的な例が、娘の意思に反して見合い結婚を強要しようとするイスラム教徒の家族である。ヨーロッパでは、このような場合に国家は、移民共同体の共同体としての権利を守るか、当該女性の個人の権利を守るか、どちらかを決めなければならない立場に置かれる。この場合、リベラルな社会は、女性の側に立ち、移民集団の自治を制限する以外にないように思われる。

契約理論は異なる社会集団間の力関係を反映していないという批判は、ある程度は正しいが、こうした問題はリベラルな社会では長い時間をかけて是正されてきたのである。アメリカ建国時には、確かに人種間契約があり、その代表的なものが、合衆国憲法の五分の三条項で、黒人を完全な人間として数えなかった。この条項は、奴隷制を維持しようとする勢力と、奴隷制を廃止するか少なくともその広がりを抑えようとする勢力との間の妥協を示す契約であった。奴隷制という道徳的問題はアメリカの政治を揺るがし続け、リンカーンが二期目の大統領就任演説で述べたように、南北戦争の根本原因であった。南北戦争の後、憲法改正が行なわれ、契約の性質が根本的に変わった。しかし、新たな契約が法律的に履行されるまでには、さらに百年の歳月を要し、奴隷制という原罪の影響は今なお消え去ることはない。現代の人種理論家の中には、このような人種差別的契約が残っており、現行制度は依然として白人至上主義を前提としていると主張する者もいる。[14] しかし、現在の人種的不公平を生み出しているのは、契約そのものの事実や性質ではない。

リベラリズムが必然的にネオリベラリズムや搾取的な資本主義につながるという批判は、十九世紀末から二十世紀にかけての歴史を無視している。この時代、労働者階級の所得は数世代にわたって上昇し、ジニ係数で測る所得不平等は二十世紀半ばに至るまで低下し続けた。事実上、すべての先進的な自由主義社会は、十九世紀後半以来、広範な社会保障と労働基本権の考え方を導入してきた。リベラリズムはそれ自体では十分な統治理念ではない。市場経済が生み出す不平等を政治的に是正するために、民主主義と対になる必要がある。広義のリベラルな政治的枠組みの中で、将来そのような是正が行なわれないと考える理由はない。

リベラリズムや資本主義が何らかのかたちで植民地主義と本質的に結びついているという見方は根本的な方法論の誤りを犯している。複雑で多くの要因から起こる事態を単一原因論でむりやり説明しようとするからである。奴隷が栽培した砂糖や綿花は、英国やアメリカの経済発展に一役買った。しかし、西洋が経済発展、民主的統治、軍事力の面で世界の中で独自の発展をした理由については膨大な学術論文が書かれている。それらが説明するには、気候、地理、文化、家族構造、競争、さらには単なる運がさまざまに重要な役割を果たしたという。植民地主義や人種差別だけでは、東アジアのような非西洋世界の地域が二十世紀後半から二十一世紀にかけて似たような形で成功した理由を説明することはできない。アダム・スミスのような資本主義の初期の理論家は繁栄への道筋として植民地支配は必要ないと明確に論じている。自由貿易の方が経済的にはるかに効率的だからだ。実際、世界中で植民地帝国が解体された後の方が、世界全体としては、ずっと豊かになった。

そうなるとリベラリズムを批判する者たちは次の批判を始めた。リベラリズムは単に公式な支配様式を非公式なものに置き換えただけであり、国力が著しく異なる国同士の自由貿易は本当の意味で自由ではない、と批判するようになった。十九世紀に英国製品との競争にさらされたインドの繊維産業が壊滅したことは、しばしばその一例として挙げられる。しかし、このような事例に対しては、東アジアの台頭を対比させてみる必要がある。東アジアは、リベラルな世界経済の条件を受け入れたからこそ、西洋に追いつくことができたし、今ではいくつかの分野で追い越そうとしている。こんにち、巨大な国際開発産業が存在し、さまざまな資源を富める国から貧しい国へ移転することが、サハラ以南のアフリカで国家予算を支えてきた。こうした努力は、公衆衛生面を除けば結局は効を奏しておらず、ベルギー国王レオポルドがコンゴから奪った資源を道徳的に埋め合わせることさえできないという主張もあるかもしれない。

最後にもう一つ、リベラリズムに対する批判を挙げる。それは、リベラルな政治性が持つ権力の行使に対するチェック・アンド・バランス（抑制均衡）によって、権力と富の思い切った再分配ができなくなっていることだ。この批判は極めて妥当である。中国のような権威主義の国ならば、一九七八年以降に鄧小平が経済を市場原理に開放したように、思い切った変化を急速に遂げることができる。アメリカのような立憲共和制国家では、経済制度についてそのような急激な変更は考えられない。現代の進歩的左派の一部では、カール・シュミットの著作にあらためて関心が持たれている。伝統的に右派に属すと見られてきた二十世紀前半の法学者であり、行政権の裁量行使を支持し論陣を張った。[15]

しかし、権力に対するリベラルな制約は、一種の保険と見なすべきである。チェック・アンド・バランスは、独裁的な権力の乱用を防ぐために存在する。中国では憲法上の制約がないため、鄧小平の改革だけでなく、毛沢東の大失敗である大躍進政策と文化大革命も可能になった。チェック・アンド・バランスの欠如は、今日の習近平の独裁中央集権化を促進させている。アメリカのチェック・アンド・バランスは、今日の進歩派の若手が望むような改革の可能性に制限を加えているが、ドナルド・トランプによる権力乱用の試みから国を守った。リベラルな民主主義では、例えば、議会で法案を通すためには障害となる制度的な議事妨害演説（フィリバスター）を廃止するなど、制度的ルールを変更することはまったく可能である。私は別の著書で、アメリカは「ベトクラシー（拒否権政治）」になってしまったと論じたことがある。アメリカの政治体制は拒否権を行使できる機会がいくらでもあるため、政治的決断が極めて困難になっているからだ。しかし、権力をまったく制限しないでおこうというのが危険な提案であることは間違いない。将来、どんな権力者が現れるか前もって知ることはできないからだ。

確かに歴史的に見れば、リベラルな社会は異文化の国を植民地化し、自国内の人種や民族集団を差別し、女性に従属的な社会的役割を持たせてきた。しかし、人種差別や家父長制がリベラリズムに内在していたと論じるのは、歴史的に見て偶然起きた現象を本質だとみなすことになる。自称リベラルが過去に非リベラルな思想や政策を支持したからといって、リベラリズムがこうした誤りを認め、修正することができないということにはならない。このことは、批判的人種理論のチャールズ・ミルズ自身も認めている[16]。リベラリズム自体がむしろ、自己修正をするための理論的正当性を与えてくれる。南北戦争の前にリンカーンが奴隷制に道徳性はないと反駁する根拠としたのは、「すべての人間は平等に造られている」というリベラリズムの考え方であり、公民権運動時代に、すべての有色人種に完全な市民権を広げていく力になったのも同じ考え方であった。

進歩主義者によるリベラリズムに対する最後の批判は、啓蒙主義以来リベラリズムと密接に結びついていた認識様式、すなわち近代自然科学の認識様式と関係がある。この領域におけるリベラリズムに対する脅威は、いま最も深刻である。そこで次に、認識と言論に関連する狭い範囲での制度に焦点を合わせてみる。

# 第6章　合理性批判

アメリカにおけるアイデンティティ政治につながる批判理論は、リベラリズムの原則だけでなく、リベラリズムと結びついた言説様式に対する批判を生み出している。この領域で、批判理論は特に顕著な効果をもたらしている。極端なケースでは、そうした批判は合理的言説というリベラリズムが理想とするものの可能性を全面的に否定する。こうした思想の流れは、構造主義からポスト構造主義、ポストモダニズムを経て、最終的には現代のさまざまな形式の批判理論に至っている。前章で述べたリベラリズムへの批判と同様に、この考え方も多くの正しい観察から始まるが、その後、容認できないほど極端な方向へ進んでいった。その過程で、進歩的左派によって切りひらかれた議論の多くが、ポピュリスト右派にも流れ込んでいった。このような批判が現代のコミュニケーション技術と結びつくと、「ジャーナリストの」ピーター・ポメランツェフの言葉を借りれば、「何も真実ではなく、すべてが可能である」という認知の荒地に私たちは陥ることになる。[1]

近代リベラリズムは、その初期から、近代自然科学という独特の認識様式と強く結びついていた。この認識様式は、人間の知性の外に客観的な現実が存在し、人間はそれを徐々に理解し、最終的にはその現実を操作できるようになると想定する。こうした考え方の元祖は哲学者のルネ・デカルトで、彼は外部現実の存在に対して想像しうる限りで最も根源的な懐疑論から出発し、現実を理解するための構造化された制度の構築に向かって努力した。その理解とは、経験的な観察と実験的方法に基づくもので、フランシス・ベーコンによって開拓された、相関する事象の観察を照らし合わせて因果関係を確立しようとするものであった。これは、現代の自然科学の基礎となっている方法であり、今日、世界中のあらゆる統計学の基礎コースで教えられているものである。このように、リベラリズムは、科学技術によって自然を支配し、技術によって現存する世界を人間の目的に合うように変えようとするプロジェクトと強く結びついている。

現代の民主主義国家は、難解な認知の危機に直面している。社会学者マックス・ウェーバーは事実と価値を区別し、合理性は前者のみを判断することができると主張した。「道徳的にみて、人間の胎児は幼児と同じである」というような声明には合意できないかもしれないが、「今、外は雨が降っている」というような言明の真偽には同意できるのである。現代社会は、長いこと、あらゆる価値体系は本質的に主観だと主張する道徳的相対主義とともに歩んできた。近代リベラリズムは、人生の最終目標や善の理解について人々が合意することはないという前提のもとに成立していた。しかし、ポストモダニズムは、道徳的な相対主義から、事実の観察さえも主観的とみなす認識の相対主義にまで進んできた。

［評論家］ジョナサン・ラウチは、リベラルな啓蒙主義から生まれた、事実に関する真実へのアプローチは、次の二つのルールを遵守する社会システムへの信頼に基づくものだと指摘している。最終決定権は誰にもないというルールと、知識は経験的証拠に基づくもので、話し手の権威に基づくものであってはならないというルールだ。[2]これに加えて、帰納的推論によって経験的命題を検証するか、あるいはカール・ポパーのように単純な観察によって命題を論破するか、どちらかの技法が必要である。これらの技法は、総称して「科学的方法」と呼ばれている。外界に関する知識は、科学的方法が適用された社会的プロセスの積み重ねである。そのプロセスに終わりはなく、その結論は確率的に正しいという以上のものではない。しかし、だからといって、主観的な意識を超えた世界がどのように動いているかについての私たちの信念のいくつかが、根拠がないということにはならない。[3]

科学的方法の台頭は、深く根付いた宗教に対するリベラリズムの闘いにおいて重要なものだった。リベラルな啓蒙主義は、迷信や蒙昧主義に対する人間の理性の勝利だと考えられた。神の啓示とは別に、自然界に隠された記号やシンボルを読み取ったり、自己の内部意識を探求したりするなど、さまざまな前近代的な認識様式があった。[4]近代自然科学がそうした前近代的認識を最終的には排除することができたのは、反復可能な結果を示すことができたからだ。自然を操作することで、近代的な経済社会が生まれ、そこでは技術の進歩による継続的な成長が当然視されるようになった。健康に対する科学的対処は大幅な寿命の延びをもたらした。また、技術は国家に軍事的な優位をもたらし、それを国防や征服にも利用することができるようになった。言い換えれば、近代科学は権力と強く結びついた。おそらく、一九四五年八月に広島に投下された原爆のキノコ雲が、それを最も効果的に象徴したことになろう。

まさに、近代自然科学が既存の権力構造と密接につながっていたからこそ、その優位は正当化されるのか、あるいは真に人類の繁栄に寄与するのか、と疑問視する批判が長期にわたって生ずることになった。

近代自然科学への批判は、十九世紀末のスイスの言語学者フェルディナン・ド・ソシュールの著作という、意外なところから始まった。ソシュールは、言葉は必ずしも話者の意識を超えた客観的な現実を指し示すものではなく、むしろシニフィアン（「意味するもの」）とシニフィエ（「意味されるもの」）の二項関係で結びついており、話す行為そのものが、外界とされる世界に対する認識のあり方を形づくることになる、と論じた。シニフィアンは、その言語を使う人の意識を反映するシステムの中で互いに結ばれている。だから文化によって相違がある。

ソシュールの思想は、一九六〇年代から七〇年代にかけて、精神分析学者のジャック・

ラカン、文芸批評家のロラン・バルト、哲学者のジャック・デリダといったフランスの著述家たちによって広げられた。彼らがソシュールから学んだのは、「私たちが認識しているつもりでいる外界は、実は私たちがそれについて話すときに使う言葉によって創り出されている」というラディカルな主観性の概念であった。デリダはソシュールを批判したが、彼の唱えた脱構築主義は、すべての著述者が自らの埋め込まれている社会構造の反映に無意識のうちに加担していることを証明しようとした。[6] シェイクスピアやゲーテを読むのは、作者が意味することやその叡智を引き出すためではなく、作者自身がいかに自分のホンネをさらけだしたり、当時の不当な権力関係を反映しているかを明らかにするためなのだという。ソシュールや彼の著作から生まれた構造主義が、言語すべてが持つ根本的な主観性について一般化を行なっているわけではない。それを行なったのは脱構築主義だ。脱構築主義の考え方は、西洋の古典(カノン)、すなわち、ホメロスやヘブライ語の聖書からマルクスやフロイトに至る一連の基本書に対する批判を思想的に正当化するものだった。アメリカやヨーロッパでは、これらの古典が数多くの西洋文明講座の基礎となってきた。

こうした考え方の先駆者はフリードリヒ・ニーチェで、彼は「事実はなく、解釈だけがある」と主張した。しかし、こうした思想を体系化し、その後の流れに最も大きな影響を与えた思想家はミシェル・フーコーである。フーコーは一連の才気溢れる著作の中で、近代自然科学の言葉は権力の行使を覆い隠すために使われていると主張した。狂気や精神病の定義、ある種の行動を罰するための監禁、性的倒錯その他の行為の医学的分類は、所与の現実に対する中立的で経験的な観察に基づくものではない。むしろ、それはさまざまな階層の人々を従属させ、支配しようとする、より大きな権力構造の利害を反映したものだ。[7]近代自然科学の客観的とされる言葉は、権力者の影響を覆い隠す形で、こうした利害を記号化し、人々は無意識のうちに、特定の思想とその後ろ盾になっている集団の優位性を肯定するように操られている、とフーコーは論じた。

フーコーによって、脱構築主義はポストモダニズムへと発展し、何世紀にもわたって古典的リベラリズムと強く結びついてきた認識様式に対し全般的批判を行なうようになった。そうした批判は、一九八〇年代以降、アメリカの学会で盛んになったさまざまな批判理論にすんなりと取り込まれ、当時の人種やジェンダーの権力構造を攻撃する方法として利用された。エドワード・サイードが一九七八年に出版した『オリエンタリズム』は、明らかにフーコーの権力と言語に関する理論を利用し、異文化研究に対する当時の一般的な学術研究方法を攻撃し、その後のポストコロニアル理論家たちのために土台を築いた。そうした理論家たちは、知識活動を行なう者のアイデンティティに左右されない「客観的」知識というものの可能性を否定する。[8]アメリカには長きにわたる、人種別階層制と不正の歴史があり、それは実質的にあらゆる制度に浸透していた。ポストモダニズムは、こうした問題を理解するためのおあつらえの枠組みを提供してくれた。言語と、それが記号化する権力関係こそが、そうした批判の中心となってきた。典型例としては「アメリカ人」という形容詞には、その言葉を使う者の人種、ジェンダー、文化的性向に関する多くの想定が含まれている。ジェンダー代名詞をめぐる現代の議論は、アイデンティティ集団の感受性の最新の表れにすぎない。言語が微妙に、そしてしばしば無意識に権力関係を強制することに対する感受性である。

フーコーは言語を客観的な知識への中立的な経路としてではなく、権力の道具として理解した。彼の思想を吸収した人々が単なる言葉の表現に対し極端な感受性を示すのは、そのためでもある。今日、多くの大学キャンパスやエリート文化機関では、口頭であれ印刷物であれ、ある種の言葉を使うだけで暴力とみなされ、「安全ではない」と感じてトラウマ的なストレスにさらされると訴える人がいる。実際の暴力を経験したことのある人なら、顔を殴られるのと、ある不快な言葉が発せられるのを聞くのとでは、大違いであることを知っているはずだ。しかし、フーコーの論理によれば、言葉そのものが権力の表現であり、その権力は人々に身体の危険を感じさせるのだ。

リベラルな政策推進の核には、人間は平等だという前提がある。つまり、私たち一人ひとりが背負っている慣習や蓄積されてきた文化的な遺産を取り除くと、その下にはすべての人間が共有し、互いに相手の中に認めることのできる道徳的核が存在する、ということだ。こうした相互承認こそが、民主的な熟慮や選択を可能にするのである。

この基本的な考え方は、アイデンティティの複雑さへの認識の高まりとともに、攻撃にさらされた。個々人はリベラリズムの理論が想定する自律的な主体ではなく、自分では制御できない、広範で社会的な力によって形作られている、というのである。異なる集団、特に主流社会から疎外された人々の「生きた経験」は、主流にいる人々には認識されず、異なる生活史を持つ他者とは共有できないことになる。インターセクショナリティ（交差性）とは、異なる形態の差別が存在し、それらが交差することで新たな形態の偏見や不公平が生まれるという事実を認識することである。このことはまず、実際にそうした差別が交差するところにいる人々が理解することであり、大きなコミュニティには理解できない。[9]より広範に言えば、世界に関する知識は、観察者が単に拾い上げて利用できるような経験的事実を並べたものとは異なる。知識は生きていく中でのさまざまな経験に埋め込まれている。知るということは抽象的な認識行為ではなく、行動すること、行動を起こされることと密接に結びついているのだ。

これらの考え方の多くは、明らかに真実である所見から始まっているため、単純に否定することはできない。中立的で科学的に検証された結論として提起されたアイデアでも、それを表明する人たちの利害や権力を如実に反映しているというのはもっともだ。

例えば、進化生物学者のジョセフ・ヘンリックは、人間の行動を研究する社会科学者が、「ＷＥＩＲＤ」［「気味悪い」の意味もある］とヘンリックが呼ぶ、西洋人（Western）、高学歴（Educated）、工業化（Industrialized）、金持ち（Rich）、民主主義（Democratic）の人々を典型的な観察または実験対象として用いてきたことについて記している。そうした研究は、人間の普遍的な特性を記述することを目的としているが、実際には、親族関係、個人主義、義務、統治といった問題に対する特定の文化的な行動や態度を反映していると、ヘンリックは主張する。つまり、ＷＥＩＲＤな人々は、世界中の人間の行動を広く見渡せば、異常値といえる存在であることがわかる。[10]

同様に、新古典派経済学は、経済学の研究に科学的手法を中立的に適用したものであるかのようにみえる。だがこの学問もやはり、これまでの章で述べたように、特にネオリベラリズム（新自由主義）と呼ばれる段階において、社会の基層における権力関係を反映してきた。社会科学者の中でも経済学者は、自分たちの理論を抽象的な数理モデルで形式化し、それを正当化すべく厳密な実証的方法論を発展させることに徹底的に力を注いできた。彼らは「物理学への嫉妬」に悩まされ、自分たちの科学を自然科学の中でも最も抽象的で数学化されたものと同等にしたいと願っている、と言われることが多い。

そうした厳密さを追い求めても、経済学が権力とカネの魅力に惑わされるのを防ぐことはできなかった。規制緩和、財産権の厳格な保護、民営化などは、裕福な企業や個人によって推し進められた。そうした個人や企業は、シンクタンクをつくり、大物経済学者を雇って、彼らの私的利益になるような政策を正当化する学術論文を書かせたのだ。だからと言って、経済学者の大半が完全に腐敗しているとか非難しているわけではない。ある状況下でそういうことが起きたのだ。むしろ、これは「知識人の罠」と呼ばれる問題である。ある方法で訓練を受け、同僚がみな同じ信念を肯定しているとき、人はその枠組みを受け入れ、まったく悪気もなく、それを支持する傾向がある。そうした立場を守ることで、コンサルティング料が得られ、素敵なリゾート地での会議に招待されることがあっても、気に病まない。

だから、近代自然科学や古典的リベラリズムに関連する認知的アプローチに対する多くの批判は妥当に思われたのだ。しかし、批判理論の多くは、科学的手法の特定の誤用に対する批判をはるかに超え、啓蒙主義以来発展してきた科学に対する広範な批判を展開した。リベラリズムの基本である人間の普遍性の探求は、人種差別や家父長制を組み込み、ある特定の文明の思想を世界中に押し付けようとする、単なる権力の行使に過ぎないと主張したのである。誰もが生まれながらのアイデンティティを超え、異なるアイデンティティ集団を俯瞰する高い視点を持つことは不可能であった。例えば、フェミニスト作家のリュス・イリガライは、物理学において固体力学は男性的な世界の見方であり、流体力学は女性的な見方だと主張した。[11]外界について注意深く観察し、熟考することによって知識を蓄積して増やしていこうという願望に代わって、批判理論では知識を生きた経験や感情の中に求め、ラディカルな主観主義を主張したのである。

フーコーの科学批判にも、陰謀論的な思考が具現化されたような要素があった。彼は、近代世界では権力の性質が変化していると主張した。権力はかつては臣民が命令に従わない場合、その死を命ずることができた。現代の権力は、もっと巧妙な方法で行使されている。権力は諸制度と、社会生活を規制し、それについて語るために用いられる言語、すなわち彼が「生権力」と名付けたものを構築する。[12] 後期の著作でフーコーは、権力はあらゆる活動に実質的に浸透していると主張したが、それが行き過ぎて彼の概念から真の説明力を失わせているとの批判もある。[13] しかし、フーコーの主張は、後の批判理論家たちが、客観的であるはずの科学が実際には特定のエリート集団（白人のヨーロッパ人、男性、「異性愛規範」の人々など）の利益にいかに奉仕しているかを説明するのに用いることができる議論を提供することになった。

ポストモダニズムとその批判理論の分派は長い間存在し、批判され、嘲笑までされてきた。ラカンやデリダのようなポスト構造主義者に始まるこの分野の多くの人々が、意図的に思想を難解にし、矛盾や弱い論理に対する説明責任から自分たちを守るような書き方をした。[14] 批判理論は特定の学問領域に限られ、秘伝に没頭するようなものだったが、進歩的な人々が世界を解釈するための枠組みを提供し続けてきた。二〇二〇年五月のジョージ・フロイドさん殺害事件をきっかけに、もっともな怒りが大きく湧き上がり、全米で警察の暴力に抗議するデモが行なわれた。事件は、過去の多くの批判をなぞるようにして人種差別反対の研究文献を生み出した。[15] そうした文献が論じたのは、人種差別は個人の属性でも、また解決すべき政策上の問題でもないということであった。人種差別は、アメリカのすべての制度と意識に浸透している状態だとされた。フーコーの「生権力」と同様に、それは、言語に埋め込まれた白人至上主義の根底にある権力構造を反映しており、人種差別反対を自認する進歩的な人でさえその構造は見えない。

古典的リベラリズムとそれに付随する認識方法に対するポストモダニズムの批判は、今や右派も用いるようになった。白人民族主義者集団はこんにち、自らを追いつめられたアイデンティティ集団だとみなしている。新型コロナが流行したとき、世界中の多くの保守派が、批判理論と左派が始めたのと同じ陰謀論的な近代自然科学批判を行なった。彼らはフーコーの「生権力」をそのまま引き写すようにして、ソーシャルディスタンスやマスク着用、市街閉鎖を推奨する公衆衛生機構は「客観的」科学を反映しておらず、むしろ隠れた政治的動機によって動いていると主張した。[16] 右派の主張はこれよりはるかに進み、科学者全般と科学を利用する制度への信頼を損ねようとした。ドナルド・トランプをはじめとする現代の保守派が、彼らが忌み嫌うポストモダニズムの理論を一言でも読んでいることはあり得ないが、アンドリュー・ブライトバートやピーター・ティールなど、右派の運動に引きつけられた知識人の多くは読んでいる。彼らは、大学・研究機関や主流メディアといった中立とされる組織において進歩派が優位になっている状態に対し、体制批判として始まった手法を当てはめて用いている。[17]

進歩的アイデンティティ集団による古典的リベラリズムとそれに関連する認識様式の破壊は、リベラルな制度の下で歴史的に疎外されてきた集団に利益をもたらすという前提のもとに行なわれた。そのような集団は、リベラリズムが約束しながらも実際には決して実現されなかった、尊厳と平等な承認を与えられることになる。

この点で、フリードリヒ・ニーチェは、彼から学んだ二十一世紀初頭の批判理論の信奉者たちよりも、リベラリズムの合理性が破綻した時にもたらされ得る影響について、はるかに正直で鋭い予言を行なっている。彼は、現代のリベラリズムは、究極的にはキリスト教の道徳体系に裏打ちされた諸前提からなる構造の上に立っていると主張した。キリスト教の神はかつて生きていたが、神が死んだ今、平等という価値を含むすべての価値の再評価への扉が開かれた、と論じている。ニーチェは、キリスト教を奴隷宗教とみなし、それによって飼い慣らされてしまった「金髪の獣」を賞賛した。弱者は強者と同じ待遇を受けるべきだという原則は、強者が弱者を支配すべきだという原則と同じように有効ではなくなった。そうなると確かに、普遍的な価値の尺度として残っているのは権力のみ、すなわちすべての人間の活動を貫く「権力への意志」のみである。ポストモダニズムの言葉に置き換えれば、もしミシェル・フーコーが科学的方法は隠れたエリートの権力と利益を暗号化していると主張するならば、ミシェル・フーコー自身を動かしている隠れた権力の目的は何かと問わねばならないだろう。権力以外に真に普遍的な価値がないのであれば、ある権力の表現を別のものに置き換えるだけの、周縁化された集団のエンパワーメントをなぜ受け入れたいと思うのだろうか。

これはまさに、今日のアメリカの右翼過激派グループが取り上げている議論である。彼らは自分たちが有色人種に「置き換えられる」ことへの恐怖を公然と声高に叫んでいる。これは著しく誇張された恐怖である。だが、人種、民族、性別等に関係なく誰もが広範でリベラルなアイデンティティに対等に参加できるというリベラルな前提を放棄すれば、もっともな話となる。これらの過激派グループは、リベラルな秩序を守るために闘っているのではない。彼らは、他の民族集団とのゼロサム闘争の中で自分たちの権力を維持するために闘っているのだ。

リベラルな社会は最終目的について合意できないことには合意するものの、事実に基づく真理の階層を確立することができなければ、存続することはできない。この階層は、政治的権力を持つ人々から独立して行動するさまざまな種類のエリートによってつくられる。アメリカの裁判所は、事実と法律に誠実に根拠を置いていない書面を破棄することができ、嘘をついた弁護士を制裁することができる。科学雑誌は査読で合格していない研究は掲載せず、不正行為や誤った証拠に基づいた研究であることが明らかになれば撤回する。責任あるジャーナリストは事実を確認するシステムを持ち、責任あるメディアは誤りや誤解を招くと証明された記事を撤回する。これらの制度はどれも完璧ではなく、偏りを持つ可能性がある。しかし、これらのシステムは、それを監督するエリートが、普通の人々の権限を奪ったり操作したりするために、意図的に仕組んだものではない。

このように、現代のアイデンティティ政治には二つのバージョンがある。ひとつは、アイデンティティの追求をリベラルな政治の完成形とみなすもので、歴史的に支配的なエリートが、周縁化されたグループによるそれぞれ特有の闘争を理解できず、したがって彼らの根底にある共通の人間性を認識できない、という主張だ。この種のアイデンティティ政治の目標は、根底にある人間性は共通だというリベラルな前提のもとで、疎外された集団の個々の人間を個人として受け入れさせ、平等な扱いを勝ち取ることである。

もうひとつのアイデンティティ政治は、異なる集団の生きてきた体験は基本的に一致しないとみなす。普遍的に適用できる認知様式の可能性を否定し、多様な個人が共通して持っているものよりも、集団体験の価値を高く評価する。このようなアイデンティティの理解はやがて、右派によく見られる歴史的ナショナリズムと無理なく融合していくことになる。ナショナリズムは、十九世紀初頭、リベラリズムが普遍化を求めていったことに対する反動として生まれた。ナショナリストたちは、それぞれの国家には独自の歴史と文化的伝統があり、国民を単にばらばらの個人の集まりとして認識するリベラルな政治に対して、歴史や伝統を保存し、大切にする必要があると主張した。例えば、ドイツのロマン派は、イギリスのリベラル派の科学的、経験主義的なアプローチを批判し、代わりに感情や直感を中心に打ち立てる真理を主張した。

これらのことは、アイデンティティ政治が間違っているということではなく、その目的についてリベラルな解釈に立ち戻らなければならないことを示唆している。普遍的な人間の平等を前提とするリベラリズムは、アイデンティティ集団が権利を求めて闘う際の枠組みとなる必要がある。

# 第7章　テクノロジー、プライバシー、言論の自由

古典的なリベラリズムの基本原則の一つは、言論の自由の保護にかかわるものである。言論の自由の保護は合衆国憲法の権利章典となっている修正条項の第一条に記されており、また多くのリベラルな民主主義国の憲法や世界人権宣言に明記されている。言論には人間が他の生物の種にはできない複雑な方法でコミュニケーションを行なうことを可能にする実際的な価値がある一方で、思考と選択を表現する場として精神と深くかかわる価値を有する。言論は、時間を超え、かつまた巨大な空間スケールでの調整と協力を可能にする制度をつくりだすのに必要である。言論の自由は考える自由を意味し、リベラルな秩序が守ろうとするすべての自由の基礎となる。

言論の自由については右左双方で争いがあり、リベラリズムに対する広範な攻撃の一つとなってきた。また、技術変化によって社会がコミュニケーションを行なう新たな回路が生まれたものの、その価値は未知数であり、言論の自由は厳しい試練に直面している。

リベラルな社会において言論の自由を支えている二つの規範となる原則がある。第一は、言論に対する意識的な権力の集中を避ける必要性にかかわる。第二は、あまり目立たないが同様に必要なもので、社会の中の個々の構成員を取り囲むプライバシーの領域を、政府と市民の両方が尊重する必要があるということだ。この領域は、欧州のように基本的な法的権利として定義することができるが、正当な権利というよりはひとつの規範として理解する方がよいだろう。市民同士が相互に行なう私的行動に影響を与え、寛容の美徳の延長と見なされるからだ。この二つの原則は、私たちのコミュニケーションの仕方における技術変化や、政治的分断など他の社会的変化によって脅かされてきた。

言論に対する権力はこんにち、いくつかのかたちで集中が起きている。第一に、権威主義的な政府、あるいは表向きは民主的な国の中で権威主義者になろうとする者たちが、言論を独占し統制しようとする。これは古くからの問題だ。古典的リベラリズムはこのような国家権力に強い不信感を抱いている。実際、言論は常に権威主義政権の最初の標的となる。現在の中国共産党は従来からのメディアとインターネットの両方に対して統制をどんどんと強めている。ロシアのウラジーミル・プーチンはすべての主要メディアを自らの支配下、ないしは自分の取り巻きの支配下に置いている。インターネットは、日常生活のいたるところにある追跡装置やセンサーを通じて、これまで想像できなかった規模の監視を容易にできるようにした。中国の「社会信用システム」は、監視と大規模なデータマイニングや人工知能を融合させ、政府が国民の思考や行動を大小問わず監視することを可能にしている。

第二の脅威は、政府からではなく、従来型のメディア・コミュニケーション企業への民間による支配から来るもので、イタリアの元首相であるシルヴィオ・ベルルスコーニが始めた。ベルルスコーニは、新聞、出版、放送など広範囲に及ぶメディア帝国「メディアセット」を所有し、裕福な寡占事業者となった。メディア支配を使って自力で一種のセレブになったベルルスコーニは、それを利用して一九九〇年代前半には首相の座にまでのぼり詰めた。それはちょうど、社会党とキリスト教民主党の崩壊により、第二次世界大戦後のイタリアの政治秩序が瓦壊しつつある時期であった。ベルルスコーニは政権を握ると、新たに得た政治的影響力を利用し自分のビジネスの利益を守るとともに、刑事責任から身を守るのにもその力を用いた。

ベルルスコーニがメディアと政治を結びつけて成功したことで、それはその後、広く模倣されるようになった。プーチン自身はメディア王ではないが、早くから民間メディアを自分、あるいは取り巻きの支配下に置くことの重要性を認識していた。その過程で、彼は個人的に、世界とは言わないまでも、ロシアで最も裕福な人物のひとりとなったのである。ハンガリーのビクトル・オルバンやトルコのレジェップ・タイップ・エルドアンも同様に、メディアを自ら管理することで、政治権力を固め一族の富を確固たるものにした。一九九〇年代後半にインターネットが台頭すると、従来型のメディアは投資対象としての魅力を失い、多くのメディア企業が各国で新興財閥に買収された。彼らは、従来型メディアを魅力的なベンチャーではなく、政界進出の道具と見ていた。[1] オリガルヒとも呼ばれる新興財閥による旧来のメディアの支配が最も進んでいる国はウクライナであり、主要ラジオ・テレビチャンネルのほとんどすべては、七人のオリガルヒのうちのひとりに支配されている。

言論の自由に対する第三の脅威は、逆説的だが、インターネットが可能にした膨大な言論の量から生じた。一九九〇年代にインターネットが市民のコミュニケーション手段として普及し始めたときは、民主化を大きく促進する効果があると広く信じられていた。情報は権力の源泉であり、情報へのアクセスが拡大すれば、権力はより広範に分散すると考えられた。インターネットは、出版社、編集者、メディア企業、政府といった旧来のメディアのゲートキーパー機能を回避し、誰もが自分自身の意見を直接伝えることを可能にした。インターネットはまた、大衆の動員を可能にし、ウクライナ、ジョージア、イラン、そして「アラブの春」で起こったような権威主義的で腐敗した政権に対する蜂起を極めて容易にした。虐待や迫害に苦しむ孤立した人々が、地理的な制約があるにもかかわらず、お互いを見つけ出し、集団行動を起こすことを可能にしたのである。

しかし、［元ＣＩＡ分析官の］マーティン・グッリが指摘したように、デジタルメディアと旧来のメディアが融合した新しい情報空間は、それまでアクセスした経験もなく、理解することもできないほどの大量の情報ですべての人を圧倒し始めた。時間が経つにつれ、これらの情報の多くが質の低いもの、誤ったもの、あるいは特定の政治的目的を達成するために意図的に「武器化」されたものであることが明らかになった。[「アラブの春」で活躍したエジプトのコンピュータ専門家]ワエル・ゴニムのように、インターネットで力を得た個人がアラブの独裁政権を倒すのに貢献することもあれば、ワクチンや不正投票に関する誤った情報をたった一人で拡散させることもある。この情報爆発の累積効果は、政府、政党、メディア企業など、それまで情報を伝達する狭い経路であった既存のヒエラルキーの権威を弱めるものであった。[2]

古典的な理論によれば、合衆国憲法修正第一条は、言論に対する集中化された権力の源泉のうち、最初のものである政府のみを統制することを目的としている。国家による統制がない場合は、さまざまな声が競う市場が生まれて、民主的な熟慮の過程を通じ、時間の経過とともに、良い情報が悪い情報を駆逐することが前提になっている。同じような考えが言論の自由に関するヨーロッパの考え方の根底にあり、例えばユルゲン・ハーバーマスが民主主義理論において「公共圏」を優先していることが挙げられる。他の製品や産物の市場と同様に、思想の市場も大規模で、分散化され、競争的であれば、最もうまく機能すると考えられた。

この古典的な理論には重大な問題がある。まず実際には、民主的な議論におけるすべての声が、平等に扱われるとは限らない。科学的方法論が持つ「知の構造」はあらゆる方向に開かれており、［科学的な］発見を検証する際に単一の権威に依存することはない。この［科学的知の］システムにおいて、知識は実験観察に基づいて蓄積され、その観察は因果関係を見つけ出すという合理的な方法論に支えられている。知識がどれだけ確かであるかは、実験の確度を広範な基準で測ることで決まる。ある医療行為が自分の親族に及ぼした影響についての逸話を引用する人は、大規模な無作為試験の結果を報告する科学的研究と同じ地位を占めるべきではない。ある政治家を非常に腐敗していると主張する党派的なブロガーは、その政治家の財務記録を六カ月かけて注意深く調べた調査報道ジャーナリストと同じ重みを持つべきではない。しかし、インターネットでは、このような別々の見解をともに信用できるもののように見せてしまう。

情報には本質的な階層性があるという考え方は、現代の法制度にも組み込まれている。（米国の司法で言うところの）「合理的な疑いの余地がない」という理由で被疑者を有罪にする際、裁判所は常に伝聞証拠の影響を限定しようとする。例えば、インターネット上で主張されたことが、それだけで法的に認められる証拠となることはない。また、プロのジャーナリズムは、情報源の確認や情報源について透明性を求めることで、情報の序列化を行なう。

大規模なインターネット・プラットフォームは、情報の慎重な吟味よりもバイラル性とセンセーショナリズムを優先するビジネスモデルで運営されているため、深刻な問題を引き起こしている。デジタル・プラットフォームでは、従来のどんなメディアも太刀打ちできないようなスピードと規模で、卑猥で間違った話が拡散される可能性がある。ネットワーク経済(例えばネットワークは規模が大きくなるほどユーザーにとって価値が高まるという事実)は、情報を流通させたり抑圧したりする力を、たった二つか三つの巨大なインターネット・プラットフォームに確実に集中させてしまう。現代のインターネットは、権力を分散させるどころか、集中させているのである。

リベラルな啓蒙主義を支える人間の認知についての標準モデルは、人間が合理的であることを前提にしている。つまり、自分自身の外部の経験的現実を観察し、その観察について因果関係を推論し、そして、自分がつくり上げた理論に基づいて世界に対して行動を起こす、と考える。しかし、ジョナサン・ハイトをはじめとする社会心理学者は、多くの人が実際にはまったく異なる認知モデルに従っていると論じている。[3] 人は経験的現実を中立的に観察することなどしない。むしろ、自分が好む現実に対する強い嗜好から出発し、その認知能力を駆使して経験的データを選択し、その現実を裏付ける理論を考案する。「動機づけられた推論」と呼ばれるプロセスである。

インターネット・プラットフォームは、動機づけられた推論を大いに活用した。彼らは、ユーザーの好みに関する膨大なデータを持っていて、ユーザーがそうした好みとの相互作用を最大化するのにぴったりと合うコンテンツに絞ってユーザーに与える。誰もユーザーに対しそうするようには強制していない。ユーザーには自発的な選択のように見えるが、実はプラットフォーム側の巧妙な舞台裏の操作に基づくものである。プラットフォームは、新しく多様な情報を吟味し、消化し、熟考する社会的プロセスに貢献するのではなく、既存の信念や嗜好を強化する傾向がある。これは政治的な動機からではなく、自らの利益を高めるために行なわれ、その過程で民主的な熟議という適切な機能を損なっている。

リベラルな社会において言論を統御すべき第二の原則は、政府と市民の双方が、社会の各構成員を取り囲むプライバシーの領域を尊重する必要性である。ヨーロッパでは、プライバシーは多くの国や、また欧州連合（ＥＵ）全体の基本法および基本的権利として書き込まれている。プライバシーの尊重は、政府や大企業だけでなく、他者との付き合いにおいて個人にも適用されるべきものだ。

リベラリズムが機能するために、プライバシーの領域の保護が重要である理由はいくつかある。第一は、リベラリズムそのものの性質に直接由来するものである。リベラリズムが多様性のある社会を統治する手段であると理解するならば、良き生き方についての見解に関して実質的にコンセンサスが得られないことを想定することになる。これは、個人が道徳的な義務を放棄する必要があるという意味ではなく、その義務は私生活で守られるべきものであり、他人に押し付けるものではないということである。リベラルな共和制の下で市民は寛容を実践する必要がある。これは、多様性を尊重し、他人を自分自身の深い信念に従わせようとする衝動を抑えることを意味する。そのような場合、その人の内面にある信念の性質ではなく、その人の公的な人格、つまり他者に対する行動の仕方に関心を持つべきだ。

他人のプライバシーを尊重することは、一見問題のない要求のように思えるが、個人の行動は透明であるべきで、それに対して責任を負うべきだという考え方などの他の原則と、しばしば齟齬が生じる要求でもある。近年、あらゆる面で透明性と説明責任の向上が強く求められている。この要求は、議会や行政機関などの公的機関に始まり、カトリック教会、ボーイスカウト、企業、非政府組織（NGO）など、民間組織のガバナンスにも及んでいる。透明性がなければ、説明責任は果たせない。腐敗した役人、虐待を行なう指導者たち、児童ポルノ製作者、性的人身売買者は、秘密のヴェールの後ろに隠れることができる。実際、透明性は多くの人々にとって、少ないよりも多い方が常に良いという、無条件の善と見なされている。

プライバシーと透明性は一定の状況下では相互に補い合うが、しばしば対立する。完全に透明であったり、プライバシーの必要性を排除できるリベラルな社会は存在しない。完全に透明な世界では、熟慮や交渉は存在し得ない。家を買う人は、自身の側の不動産業者と最終的な提示価格について話し合った内容を売り手に知られたくはない。採用や昇進に関する議論において、候補者を含むすべての人に率直な意見が知られてしまうなら、誰も正直に話すことはないだろう。いわゆる「チャタムハウス」と呼ばれるルールは、非公開の会合で、参加者に率直な発言を促すために用いられる。米国では、連邦諮問委員会法や政府会議公開法などの多くの法律が、ウォーターゲート事件をきっかけに一九七〇年代に制定された。毎日二十四時間のテレビによる議会中継とともに、これらの義務化された透明性規則は、行政府と立法府の両方において熟議がなされなくなった原因として広く批判を受けてきた。[4]

インターネットの台頭は、従来の放送メディアと相俟って、すべての人のプライバシーの領域を著しく損なった。以前であれば、直接会って、あるいは電話で表現されていた私的な見解が、今では電子プラットフォームを媒介とすることで、永久に記録される。中国では、政府がそうしたデータにアクセスし、それを使って市民の行動をコントロールすることができる。民主主義国家では、そうしたデータにアクセスできるのは大規模なインターネット・プラットフォームであり、フェイスブック（現・メタ）のような会社は、人の最もプライベートな考えや好みについての知識を利用して、モノを売り込んでくる。

しかし、この問題は大規模なプラットフォームだけに起因し、責任があるわけではない。多くのユーザーは、電子メールを通じて、あるいはソーシャルメディア上の少人数のグループに対して、自分でプライベートだと思っている意見を表明している。しかし、そのメッセージを受け取った人は、それを世界中に広めることができ、近年では、プライベートな場と信じていた場で正直に話しただけで、多くの人がトラブルに巻き込まれている。また、インターネットには時効がなく、発言は永久に公然と記録され、後から取り消すことは極めて困難である。

こうした傾向は、ニューヨーク・タイムズ紙のベテラン記者、ドナルド・マクニールのケースにすべて示されている。高校生のグループとペルーに研修旅行に行ったとき、マクニールは自分の言葉ではなく、引用の中で人種的な蔑称を使ったことで非難された。というより、一部の学生から人種差別的だと解釈されるようなかたちでしゃべったことが非難を受けた。この話はソーシャルメディア上でセンセーションを巻き起こし、憤慨した新聞社のスタッフが大挙してマクニールに謝罪を求め、最終的には退社に追い込んだ。[5]

言論の自由は、私的な組織がその名の下で行動するメンバーの言動について規律を守らせ、統制する権利を包含する。マクニールが、新聞社の社内手続きを通じて懲戒処分に値するような発言をした可能性は確かにある。問題は、何が人種差別的行為にあたるかを判断する新しい基準であった。ニューヨーク・タイムズ紙の編集主幹ディーン・バケーは「彼の意図が憎しみや悪意であったとは私には見えなかった」と結論づけたが、現代の反人種主義活動家は人種差別を意図から切り離そうとしているのである。人々が人種差別的でないように振る舞うだけではもはや十分ではない。人々の私的な思考には隠れた人種差別が蔓延していると言われ、いま主流とされる正しさと一致させることが必要なのである。ソーシャルメディアの存在により、ニューヨーク・タイムズ社が社内のプロセスでこの問題に静かに対処することができず、事件は国民的議論の対象となった。マクニールのケースは、いくつかの大きな風潮があわさってプライバシーが侵食されたことを示している。第一に、透明性はあらゆる形態の私的行動に及ぶべきであるという信念、第二に、アイデンティティ政治による言語と権力の混同によって生じた言語に対する極度の敏感さ、第三に、私語を公的発言に変えてしまう情報技術の力である。

米国では、医療情報などある特定の分野ではプライバシーが保護されているが、欧州の一般データ保護規則に匹敵するような、その他のプライバシーを守る国としての法はない。[6]マクニールの例が示すように、プライバシーの公式な規制があっても実施するのは非常に困難で、私的なコミュニケーションに国家が細かく介入しなければならず、逆効果になりかねない。プライバシーの保護は明確な法律に基づくこともできるが、最終的には、同胞市民が不快な意見や議論を呼ぶような意見を持つ権利を、尊重するような社会規範によって達成するのがよいだろう。

一方、プライバシーの保護には、公の場での発言に関して全く異なる規範が必要だ。市民は互いに話すときに礼節の基準を守る必要がある。今日の米国における政治的言論の多くは、理性的な意見を持つ人々の参加を意図したものではない。多くの場合、故意に反対派を挑発したり、同じ考えを持つ人々の賛同をかき立てることを意図したものである。

このように言論の自由は、特定の行為者に言論を強力に支配する権力を集中させたり、リベラルな社会が保護しようとするプライバシーの領域が着実に侵食されることによって、脅かされているのである。言論の自由が持つ熟慮の機能は、透明性への過剰な要求だけでなく、社会的やりとりがインターネットでのコミュニケーションに移行したことで可能となった、さまざまな空想世界の台頭によっても弱体化しているのである。

二〇二一年のアメリカでは、右派のかなりの部分が、二〇二〇年十一月の大統領選挙ではドナルド・トランプが圧勝したのに、民主党員による大規模な不正行為によってそれを奪われたという空想世界の中で生きている。これは、二〇二一年一月六日に親トランプ派の暴徒が連邦議会議事堂を襲撃したような現実世界での結果をもたらした。また、ジョージア、テキサス、フロリダ、アリゾナといった州の共和党政治家が、有権者の投票権を制限し、将来の選挙で共和党が勝者とならなかった場合に選挙結果を覆す権利を彼ら自身に与えることで、ありもしない問題を修正するための法律を成立させるに至ったのである。新型コロナの大流行に対するワクチン接種が始まると、多くの保守派が政治的な動機に基づく政府の陰謀だとしてワクチン接種に反対した。また、少数ではあるが無視はできない数の人々が、「民主党は小児性愛者の国際組織の一部である」というQアノンのような、さらに途方もない陰謀論を信じ込んでいる。[7]

このような物語の広がりは、インターネットの台頭と直接結びついている。一九二〇年代の「赤狩り」から一九四〇年代のジョセフ・マッカーシーまで、アメリカの政治には常に右派のパラノイアが存在していたが、こうした陰謀論は概して政界の片隅に追いやられていた。[8] インターネット以前は、少数の放送局と新聞によって情報がコントロールされており、負けた政治家が実際の証拠がないのに選挙不正を主張することは非常に難しかった。しかし、インターネットは偽情報を広めるための経路を無制限に提供するようになった。

通常、自分の好む現実が実際の現実から大きく乖離すると、最後には落とし前をつけなければならなくなる。仕事も得られず、正しい目的地にたどり着けなくなったり、病気になったりということが起きる。しかし、ここでも現代の情報技術は、人々の認知の風景にさまざまな干渉を行なっている。私たちは、触ったり、感じたり、歩いたり、他の人と話したりといった外の世界との直接的な交流を、ますますしなくなっている。これらの活動は、こんにちでは、そうした外の現実のアバターを提供してくれるスクリーンを介してされることが多くなっている。私たちの社会的なつながりは、一世代か二世代前のような家族や友人といった親しい間柄をはるかに超えて広がっている。コンピュータによる現実のシミュレーションは、時代とともに信じられないほどリアルになり、何が現実で何が「シミュラクル（模造）」なのか、人々の感覚を曖昧にしている。もっとも典型的なのは、オンラインゲームの世界や、ハリウッドのスーパーヒーローのファンタジーの世界であり、若者たちはその世界にかなりの時間を割き、ますますそうなる傾向がある。ゲームの世界では、人は生まれながらの身体や社会的アイデンティティを持って生きる必要はなく、また、匿名のままでいられるので、自分の行動に対する説明責任もほとんどない。無謀な運転や他人への暴力といった危険な行動を制限せざるを得なくさせるのは死への恐怖だが、ネットの世界にそれは存在しないのである。こうしたことが技術的背景となって、現在の米国では政治的に分裂した両側で、単に思想や政策の好みについて意見が異なるだけでなく、異なるバージョンの現実を見ているという状況になっている。

進歩的な左派は、独自のオンライン・ファンタジーのバージョンを持っている。このバージョンは、右派のものよりもはるかに穏やかで、影響も小さく、リベラルな民主主義の基盤を脅かすものではない。しかし、左派が自らの政治目的を達成する力という点では、それなりに結果を生んでいる。

これまで見てきたように、アイデンティティ政治につながる批判理論の伝統は、根底にある権力構造のシニフィエとして言葉や言語について特段強調する。このためしばしば、言葉を実際の権力と取り違える。大学や芸術の場では、何が他者を傷つけることになるのかについて理解が拡大されている。ある種の禁止された言葉を単に口にするだけで、暴力に相当すると解釈され、身体の安全の問題としてその禁止が正当化される場合もある。

インターネットは、人々に社会正義についての感情のはけ口を提供する一方で、実際にそれを実現する必要性を忘れさせてしまう。リベラルな民主主義において社会正義を実現することは困難な作業である。それは民衆の動員から始まり、動員のためには人種、性別、障害などの差別的状況における不正義について人々の意識を高めることが必要である。オンライン行動主義はこれに最適だ。だが、動員をかけたら、行動へと移行する必要がある。誰かが状況を改善するための政策や法律を策定し、選挙を戦い、勝利を収め、政策を実行するために多数派を形成しなければならない。議員たちが解決策に資金や人材を割くよう説得し、法廷闘争を通じて政策を打ち立て、大規模に実施する必要がある。これらの段階の多くで、社会正義における当面の問題に当初は賛同していなかった市民を説得する必要があり、その過程で、自分の目的を政治的現実に合致するように作り替える必要が出てくるかもしれない。

インターネットの普及により、人々は言論活動を現実世界の結果に影響を与える行為と勘違いするようになった。人種差別主義者と思われる発言者をブロックすることで、活動家は自分たちが実際に人種差別に対して打撃を与えたと思い込んでしまう。しかし、実際に行なったことは、単に論争の場を移しただけであり、自分たちは右派からの正当な批判を受ける対象となったのに過ぎない。ソーシャルメディア企業は、巧妙にインセンティブを与える仕組みを構築し、人々は「いいね！」やリツイートを積み重ねれば何か重要なことをしていると思い込むが、現実には「いいね！」などはソーシャルメディアの閉じた環境の中でのみ意味を持つに過ぎない。ソーシャルメディアが、現実の世界を改善する結果につながらないと言っているわけではない。しかし、ほとんどの人は、ネット上での交流を通じて得られる現実の疑似体験で満足している。

近代自然科学や啓蒙主義的な認識へのアプローチに対する攻撃は左派で始まった。批判理論がそれらを推進するエリートの隠された意図を暴露した。そうした批判は、しばしば真の客観性はあり得ないとし、その代わりに主観的な感情や感覚を真正性の源泉として評価するものであった。このような懐疑的な考え方が、現在では右派ポピュリストに広がっている。彼らは、エリートたちが科学的認識様式を、少数派コミュニティを周縁化する技法としてではなく、むしろかつての主流派を犠牲にするために使っていると考えている。進歩主義者と白人民族主義者は、冷徹な経験的分析よりも生の感情や感覚を重視する点で一致している。[9]

インターネットとデジタル・コミュニケーションがもたらす代替現実の問題への長期的な解決策は、政府、企業あるいはネット上の暴徒のいずれによるものであろうと、不都合な形態の言論を単に排除するという権力行使によって、言論の自由の原則を放棄することであってはならない。たとえ短期的に、あるいは直接的な暴力の誘発を防ぐためにこのような権力の行使を認めたとしても、この種の権力は非常に危険であり、反対意見を持つ他の主体によっていずれ行使されることが必至であるのは明らかであるはずだ。私たちは、合理性と認知へのアプローチを含むリベラリズムの規範性の枠組みを回復する必要がある。重要な規範は、「科学」を信じることではない。そこには唯一の権威ある声はない。むしろ、自由に開かれていて、経験による検証や反証に依拠する「科学的方法」を信じることが重要な規範となる。言論の自由はさらに、礼節と他者のプライバシーの領域を尊重する規範に依拠する。私たちの主観的な知性を超えたところに客観的な世界があり、そこから離れすぎた代替現実では、われわれがそれをどんなに真実であってほしいと願っても、現実世界の目標を達成することは不可能である。私たちは「映画「マトリックス」の中でのように」間違った色の薬を飲み込んでも構わないが、やがて夢から覚めるのだ。

# 第8章　代替案はあるのか？

リベラルな社会には多くの正当な批判がある。身勝手な消費主義である。共同体や共通の目的への強い感覚を覚えない。自由放任すぎて、深く信奉される宗教的価値を軽視する。多様すぎる。多様性が足りない。真の社会正義の達成にあまりにも無関心である。あまりにも酷い不平等を許容する。人を操るエリートが支配していて普通の人々の願いに応えない、などだ。しかし、いずれの場合においても、問うてみる必要がある。リベラリズムに代わるべき、より優れた原理と政府の形態とは何か。この問いは二つの明確な意味を持つ。規範として、リベラリズムを導くものに代わる原理はあるのか。その普遍主義、人間の平等の前提、法律への依存に代わるべき原理があるのか。そして第二に、現実政治の問題として、代替となる現実的な政治秩序に至る道はあるのだろうか。

まず、政治的右派が表明している不満について、具体的な説明から始めよう。これらの不満は、リベラリズムにとって非常に基本的なものを中心としており、リベラリズムが存在した数世紀の間、繰り返し提起されてきたものである。古典的リベラリズムでは、政治の照準を意図的に下げ、特定の宗教や道徳的教義、ないしは文化伝統によって定義される「良き生き方」（Good Life）を目指すことはやめた。さまざまな人々が「良き生き方」とは何かで一致できない状況下で、生き続けていくことを目指した。このため、リベラルな秩序は、精神的な空虚を残すことになる。リベラルな秩序は個人個人に勝手な行動を許すから、共同体の感覚は乏しくなる。リベラルな政治秩序は、寛容さや妥協を認め、熟考を許すという価値観を共有することを必要とするが、それは緊密に結びついた宗教的あるいは民族的共同体のような強い絆を持つものではない。リベラルな社会は、物質的な自己満足の無目的な追求を助長してきた。消費社会は、ステータスに飢えながらも、一個人が達成できることに決して満足しない。

こうした空虚を嘆くのは、ソーラブ・アーマリやエイドリアン・ヴァーミュールのような保守派知識人たちだ。彼らはリベラリズムを、宗教に根ざした道徳的行動規範の破壊と結びつけている。彼らは、第6章で指摘した個人の自律性の領域の拡大をまさに攻撃しているのである。アーマリによれば、「我々が立ち向かっている運動は、何よりも自律性を重んじる。実際、その究極の目的は、伝統の権威に対抗して、何が真実で善で美しいかを定義するために、個人の意志に可能な限り広い範囲を確保することにある」[1]。ヴァーミュールは、自律性を超えた代替制度を提唱している。「左翼リベラルの包括的な聖なる物語、すなわち個人主義的な自律性の容赦ない拡大から解放された、実質的な道徳的立憲主義を想像することは今や可能だ」[2]。宗教的規則は、家族生活と性行動を規制する上で特に重要であった。キリスト教保守派は、中絶の普及を生命の尊厳に対する攻撃として非難してきたし、関連して安楽死のような行為も非難してきた。また、近年においてリベラルな社会が同性愛やジェンダーの流動化を急速に受け入れていることも、こうした不満に拍車をかけた。より広く言えば、リベラリズムは、個人が超越的な神や道徳原理ではなく、自分自身を崇拝するような道徳の弛緩を促進してきたと多くの宗教的保守派は見ている。このような見方は米国の保守的キリスト教徒に見られるものであるが、保守的なユダヤ教徒、イスラム教徒、ヒンズー教徒、その他の信仰を持つ人々にも見られる特徴である。

ナショナリストは、宗教的保守派と同じような不満を持っている。リベラリズムが国民社会の絆を失わせ、自国民と同じように遠い国の人々にも気を配るグローバルなコスモポリタニズムが取って代わったという。十九世紀のナショナリストたちは、国民意識の基礎を血縁に置き、国民共同体は共通の先祖に根ざしていると考えた。これは、ビクトル・オルバンのように、ハンガリーの民族性に基づいてハンガリーの国民意識を定義するような現代のナショナリストにとっても、引き続きテーマとなっている。ヨラム・ハゾニーのような現代のナショナリストは、二十世紀の民族ナショナリズムから距離を置こうとし、その代わりに、国民国家はその構成員が食物、休日、言語などの厚い伝統を共有することを可能にする一体化した文化的単位を構成すると主張している。[3]パトリック・デニーンは、リベラリズムが反文化の一形態であり、リベラリズム以前のあらゆる文化を破壊し、リベラル国家の力を使って私生活のあらゆる側面に介入し、コントロールするものであると主張している。重要なのは、彼をはじめとする保守派が、経済的なネオリベラルとは対立し、市場資本主義が家族、コミュニティ、伝統といった価値を侵食していると声高に非難していることである。[4]その結果、経済イデオロギーで左翼と右翼を決めていた二十世紀の分類は、こんにちの実態には合わなくなった。右派集団は、社会生活と経済の両方を規制するために国家権力を行使することを擁護しているからだ。

もちろん、宗教的な保守派と民族主義的な保守派の間にはかなりの重なりがある。現代のナショナリストが維持しようとする伝統には宗教的伝統が含まれる。ポーランドの「法と正義」党はポーランド・カトリック教会と密接に連携しており、中絶や同性婚を支持するリベラルなヨーロッパに対して、カトリック教会が抱く多くの文化的不満を受け止めている。同様に、宗教的保守派はしばしば自らを愛国者とみなす。これはドナルド・トランプの「アメリカを再び偉大に（ＭＡＧＡ）」運動の中核を形成した福音派に確実に当てはまることである。

アメリカの右派の一部では、多様性を許さない姿勢が、人種や民族、宗教を異にする市民だけでなく、実際に人口の過半数を占める幅広い集団にも及んでいる。［保守系の］クレアモント研究所のグレン・エルマーズはこう述べる。

私が本当に言いたいのは、メイフラワー号以来ずっとアメリカに住んでいる家族も含めた、多くのこの国生まれのアメリカ人のことだ。彼らは形式的にはアメリカ市民かもしれないが、(かつてそうだったとしても) もはやアメリカ人ではない。彼らは、つい最近までアメリカを国民国家として定義していた原則、伝統、理想を信じず、それに従って生活せず、好きでもない。このような市民的エイリアン、非アメリカ系アメリカ人を何と呼ぶべきかは明らかではないが、彼らは何か別のものである。[5]

この論者にとって、「真の」アメリカ人であるかどうかの試金石は、二〇二〇年にドナルド・トランプに投票したかどうかであり、バイデンに投票した八千万人以上は「非アメリカ人」になってしまうのだ。

また保守派による別のリベラリズム批判は、リベラルな政策の中身よりも、それが実現されるまでの手続きに関連する。リベラリズムは法律に根ざしており、裁判官や裁判所の自治を保護するものである。裁判官は民主的に選出された立法府の議員らによって可決された法律を理論的に解釈するが、時に立法府を回避し、有権者の意向ではなく自らの意向を反映した政策を推進するという批判だ。[ジャーナリストの] クリストファー・コールドウェルは、一九六〇年代の公民権運動は裁判官によってもたらされたものであり、裁判所によって女性の権利や同性婚など、他の差別の分野にも拡大されたと主張している。その結果、一七八九年に建国者たちが当初想定したものとは別の憲法秩序が生まれたというのが、彼の意見だ。すなわち、重要な決定を下すのが民主的多数派ではなく、選挙で選ばれてもいない裁判官であるという秩序である。

これと並行する保守派の不満は、ジェンダーや性的指向といった社会的に敏感なテーマに関する規則が、説明責任を持たない行政国家によって発布され、同様に説明責任を持たない裁判官の意向で実施されることが多いというものだ。米国では、多くの公共政策が州や地域の教育委員会によって策定され、彼らは立法府の命令ではなく、官僚の命令によってカリキュラムを設定することができる。また、これらのルールが住民投票に諮(はか)られても、(カリフォルニア州の同性婚を禁止する「提案8号」のように)敗北することもある。さらに、そうした結果も、その後の裁判の判決によって無視されることもあり得る。

ヨーロッパでは、こうした司法積極主義はアメリカほど大きな問題ではないが、国民の選択を覆す裁判所の力については、右派から大きな不満の声が上がっている。例えば、欧州人権裁判所と欧州司法裁判所は、難民の地位について拘束力のある判決を下しており、EU加盟国がこの微妙な問題に独自に対処する能力を制限している。二〇一四年のシリア移民危機以降、これが欧州の制度に対するポピュリストの憤りを煽り、二〇一六年の英国のEU離脱を問う国民投票の一因となった。EUの官僚機構は欧州の右派にとって、さらに大きな問題である。経済政策の分野ではアメリカの官僚機構よりもはるかに強力で、［選挙で選ばれるのではないから］直接的に民主的説明責任を問われることはほぼないのである。

リベラリズムに対する保守派の実質的な批判、すなわち、リベラルな社会は共同体を構築することができる強力な共通の道徳的地平を提供しないという批判は、それなりに正しい。これは確かにリベラリズムの特徴であるが、欠陥とまではいえない。保守派にとっての課題は、現代のリベラルな社会の世俗主義を後退させ、しっかりとした道徳的秩序を取り戻す現実的な方法があるかどうかということである。

保守派の中には、自分たちの社会が思い描いているようなキリスト教的な道徳秩序に戻ることを望む人もいるかもしれない。しかし、現代社会は、十六世紀ヨーロッパの宗教戦争の時代よりも宗教的にはるかに多様化している。宗教や宗派が競合しているだけでなく、宗教者と世俗的な人々の間に深い分裂があり、それらが相俟ってポーランド、イスラエル、アメリカでは鋭い二極化が生じている。アメリカでは過去十年間、伝統的な宗教を信仰する若者は全体として減っており、ヨーロッパの後を追うように世俗主義に向かっている。時計を逆戻りさせるように、宗教的信念によって定義された共通の道徳的地平を回復させるという考えは、現実的に不可能である。インドのモディ首相のように、この種の復古改革を実現しようとする人々は、彼がグジャラート州の州首相だったときに実行した抑圧や［宗教別］共同体間の暴力事件と同じ結果を招くことになる。

保守的な知識人の中には、もし説得によってこのような巻き返しができないのであればと、あからさまに権威主義的政府という考えをちらつかせる人もいる。例えば、ハーバード大学法学教授エイドリアン・ヴァーミュールは、彼が「共通善立憲主義（common good constitutionalism）」と呼ぶものを支持して以下のように主張している。

このアプローチは、共通善をもたらす実質的な道徳的原則を出発点とすべきである。公職者（裁判官を含むが、これに限定されない）が、合衆国憲法条文の壮大な一般性と曖昧さの中に読み取るべき原則である。この原則には、統治規則と統治者の権威の尊重、社会が機能するために必要な階層の尊重などが含まれる……

さらに、共通善立憲主義の「主な目的は、確かに個人の自律性を最大化することでも、権力の乱用を最小化することでもなく（いずれにせよ一貫性のない目標である）、代わりに、統治者がよく統治するために必要な力を持つようにすることだ」と主張している。[6]保守派の論者からは、将来のアメリカの指導者にとってハンガリーのビクトル・オルバンやポルトガル最後の独裁者アントニオ・サラザールが手本になるかもしれないという意見も出ている。[7] 極右には、進歩主義を阻止する方法として、暴力をちらつかせる者もいる。アメリカは常態的に銃が溢れているが、パンデミックとなった二〇二〇年には、武器購入が爆発的に増加した。銃の保有を正当化する理由は、スポーツや狩猟から、専制的な政府(この集団にとっては、民主党が支配するすべての政権を含む)に立ち向かう必要性へとますます変化している。

アメリカでは、今後の選挙をめぐって、きわめて醜悪なシナリオが展開されることが想像されるが、それでも武力反乱が成功する可能性は極めて低いと思われる。また、ヴァーミュールが提案したようなあからさまな権威主義政治をアメリカ人が受け入れそうには思えない。この現実を認識した上で、パトリック・デニーンやロッド・ドレハーといった保守派の論客は、志を同じくする者たちがリベラル社会の大きな流れを遮断して、自らの信念を実践できるよう、小さな共同体や修道院生活へと引きこもることを推奨している。[8] 現代のアメリカのリベラリズムには、彼らがこれを実行するのを阻むものは何もない。彼らは、リベラリズムに代わるものを提示しているというよりは、リベラリズムが本来持っている多様性に対する開放性を利用しているのだ。

説明責任のない裁判所や官僚機構が、不人気な文化問題にかかわる政策を押し付けるという手続きについての保守派の不満は、民主的選択に関する現実の問題を反映している。しかし、もう一度言うが、この不満は重要な歴史的ルーツを持つリベラリズムのある特徴にかかわる。リベラルな民主主義では民主的多数派に無制限の権力を認めない。なぜなら、リベラリズムの創始者たちは、人民自身が誤った選択をしかねないことを理解していたからである。このことは、特にアメリカの建国者たちに当てはまる。彼らは、民主主義の行き過ぎを懸念し、完全な民主的選択に対しては制限を加えるため複雑な抑制均衡（チェック・アンド・バランス）のシステムを時間をかけて設計した。クリストファー・コールドウェルは、一九六〇年代の公民権革命が、裁判所が民衆の選択を日常的に覆すことのできる新しい憲法秩序の到来を告げたと論じているが、これは制度の本質とアメリカ史の双方に対する重大な誤解である。

建国後、アメリカ人が直面した中心的な問題は、人種問題であった。南北戦争前の南部では、有権者の圧倒的多数が奴隷制度を支持していたが、当時は選挙権が白人男性に限られていた。リンカーンとの討論で［ライバルの民主党政治家］スティーブン・ダグラスは、民主的選択の優位性を主張した。彼は、民衆が奴隷制に賛成するか反対するかは気にしない、重要なのは民衆の意思が尊重されることだ、と公言した。この議論に対するリンカーンの答えは、民主主義よりも重要な原則、すなわち独立宣言に含まれる「すべての人間は平等に造られている」という前提が問題であるというものであった。奴隷制度はこの原則に反している。民主主義の多数派が支持しようとしまいと、それは間違っているのだ。

南部の有権者が行なった選択のために、奴隷制の廃止は民主的な手段では実現できず、達成するには流血の内戦を必要としたのである。また、百年後に合法的な人種差別とされたジム・クロウ法を終わらせるのにも、民主主義では不十分であった。南部の白人有権者の大多数は、差別の継続を支持し、廃止を説得することはできなかった。公民権運動の時代に立法府ではなく裁判所や官僚機構が多用されたことは、この国の人種問題の歴史の文脈でとらえる必要がある。その歴史を通して、有権者自身が常にリベラルな政治を選択してきたわけではない。

コールドウェルが、自身の描く悪弊に対して、現実的な代替案を持っているかどうかは定かではない。リベラリズムがアメリカの独自性のある憲法を台無しにしたという彼の主張は、ブラウン対教育委員会事件以前の、民主的多数派が投票によって特定の市民階級の基本的権利を制限することができた状況に戻りたいということを示唆している。それよりもはるかに現実的なのは、将来の裁判所や行政機関が、立法府の大権を侵害するような決定を下すことに、もっと抑制をかけることだ。米国では、裁判所が新たな基本的権利を打ち立て、行政機関が人種差別や男女差別を禁止する単純な法案の文言を何百ページにもわたる詳細なガイドラインへと拡大した。そのガイドラインに沿った方法で、学校や大学が性的関係を規制している。法律は状況の変化に応じて進化することが必要であり、裁判所や行政機関は、立法府の動きが鈍い場合に、こうした調整を促進する役割を担っている。しかし、世論を先取りし過ぎると、自らの正当性を失う危険性がある。裁判所や行政機関は立法過程を飛び越える手段として利用されるのを許してきたことで、激しい反発と政治化の対象になってきたのである。

進歩的左派によるリベラリズムへの批判には、同様に実質的なものと手続き的なものの両方がある。実質的な不満は、階級、人種、性別、性的指向などに基づく大きな不平等が何十年にもわたって存在してきたということである。主流派の政治家はそれらを放置してきた。教育レベルの高い専門職の人々は社会の他の部分とは交わらないようにすることで、自分たちのまともな生活を構築することができたからだ。一九八〇年代のレーガン＝サッチャー革命の後、ビル・クリントン、トニー・ブレアにはじまりバラク・オバマまで左派の政治家の多くは右傾化し、市場による問題解決、緊縮財政、漸進主義の必要性についてネオリベラル的な主張を受け入れた。アフリカ系アメリカ人に対する警察の暴力のような問題は、人種間の所得や地位の格差が解消困難なまま、増大さえする中で、隠蔽されてきた。気候変動のような新しい問題は、世代間の大きな対立を生み、化石燃料企業や気候変動の現実を信じない保守的な有権者のような既得権益者の力のために、真剣に対処できなかった。このように、リベラリズムの漸進主義は、社会が直面する課題のレベルに見合った解決策を打ち出すことに、完全に失敗している。

こうした実質的な批判は、多くの「Z世代」の活動家とベビーブーム世代に生まれた年長者との間の緊張の原因である手続き上の不満につながる。リベラルな民主主義国家は、熟議と妥協を必要とする複雑なルールに基づいて構築されており、それがしばしば急進的な変化を阻む役割を果たす。米国のような二極化の進んだ国では、その結果として連邦議会が真っ二つに割れて、年間予算のような単純なものでさえ合意できず、ましてや人種的不平等や貧困といった問題に対処するための包括的な新しい社会政策にはとても合意できない。実際、時代とともにルールはより制限的になっている。一例として、連邦議会ではフィリバスター（議事妨害演説）の使用が日常化しており、重要な法案を通過させるためには［フィリバスターを止めるには］スーパーマジョリティ（超過半数）の票を必要とするが、それは獲得不可能だ。このため、バイデン政権では、フィリバスターの廃止が進歩的政策として優先事項の上位に挙げられている。こうした実質的な手続きに関する不満から、多くの若い進歩的活動家は、失敗したのは特定の政策や指導者ではなく、根本的な社会変革ができないように仕組まれた制度そのものであると主張するようになった。

リベラリズムに代わる進歩的な左派政策とはどのようなものだろうか。アメリカの保守派の多くは、専制的な「極左」国家が自分たちの権利を踏みにじるという悪夢の世界にすでに生きているのだと思い込んでいる。彼らは、政府が健康上の緊急事態に対応するためにマスクやワクチンを義務付けることから、ナチスのような軍靴を履いた暴漢が一軒一軒を回って人々の銃や聖書を強制的に取り上げるようになるまで、世界は簡単に変貌していくと想像している。パトリック・デニーンのような論者によれば、こんにちの巨大でのしかかるような進歩的ムードはすでにこれまでの文化的伝統をすべて骨抜きにし、彼のような保守派はもはや沈黙を強いられ、声もあげられないということだ。

［保守派ではなく］進歩派のポストリベラル社会とはどのようなものかをより現実的に考えるには、もう少し微妙な視点が必要だ。右派とは異なり、左派にはあからさまな権威主義的政府の構想などをもてあそぶ人はまずいない。それどころか、極左は国家主義者ではなく、アナーキストであることが多い。ポートランドやシアトルといった左派系の都市では、活動家たちがシアトルの「キャピトルヒル自治区」のような警察のいない地域をつくろうとしたり、各地の自治体警察予算を削減するよう働きかけたりしている。これらの自治区は犯罪や薬物使用に悩まされることになり、警察予算削減という考えは、中道的な民主党政治家の首を絞める面倒なお荷物と化したのだ。

進歩派のポストリベラル社会のシナリオは、いま進んでいる傾向を大幅に強化するものである可能性が高い。人種、性別、性的指向、その他のアイデンティティ分類に関する配慮が日常生活のあらゆる領域で行なわれ、雇用、昇進、医療受診や学校入学などにおける重要な検討事項となるであろう。人種にかかわらない能力主義のようなリベラルな基準よりも、人種や性別に基づく歴然とした優遇措置が重視されることになるだろう。アメリカにおける人種差別に対する積極的是正措置（アファーマティブ・アクション）は、カリフォルニア大学理事会対バッキ事件などの最高裁判決によって制限されてきたが、これが変化し、アイデンティティの分類が法律に明記される可能性がある。また、諸外国とどのように関わっていくかという点でも、ポストリベラル社会には大きな変化があるだろう。そのような社会では、国境を管理する努力を放棄し、制限のない難民受け入れ制度を導入することになるかもしれない。気候変動のような地球規模の脅威に対応すべく、法律や政策において、国内の裁判所や議会ではなく、国際的な機関や組織によって下される決定の方が尊重されるようになるかもしれない。市民権のない居住者にも選挙権を与えることで、市民権の意味が希薄になり、本質的に意味をなさなくなる可能性もある。

経済分野では、進歩派の政策が必ずしもポストリベラルになるとは言い切れない。バーニー・サンダースのような政治家は、私有財産の廃止や中央計画への回帰を求めているのではない。むしろ、他のリベラルな社会で試みられて、さまざまな成功を収めてきた、社会民主主義のかなり拡大された形態を求めている。政府は手厚い社会サービスを提供し、高等教育の費用を負担し、医療保険に国家予算を充て、雇用と最低所得を保障し、金融システムを国有化しないまでも規制し、気候変動を抑えるため大規模に投資を振り向けるだろう。これらすべての費用は、富裕層に対する大規模な新税か、あるいは現代の金融政策と同様に、昔から使われている通貨発行の拡大というメカニズムによって賄われるであろう。

現時点では、こうした進歩的な政策がすべて実現されるとは思えない。経済的な再分配の拡大は有権者の間でそれなりに人気があるように見えるが、文化的な部分の政策の支持には相当の限界がある。アメリカにおける二極化は対称的なものではなかった。右派では、保守的な有権者の大多数が、不正投票やワクチンなどについての陰謀論を中心とした、かつては異端とみなされていた立場に移行した。一方、中道左派の有権者は、ずっと多様である。二〇一〇年代半ば以降、極端な進歩派層が出現しているが、現段階では民主党内の支配的な考え方とは言えない。このように、近年、アメリカ政治における受け入れ可能な政策の幅は拡大し、右派・左派を問わず、あからさまな非リベラリズムが公然と表明されるようになった。どちらの極論も古典的リベラリズムに代わる現実的な代替案を提示していないが、リベラリズムの理想を切り崩し、それを維持しようとする人々の信用を失墜させてきている。

かつてウィンストン・チャーチルが民主主義について述べた言葉を借りれば、リベラリズムは、最悪の政治形態である。ただし、他のすべてのものを除けば。これでは、古典的リベラリズムへの熱烈な支持を取り戻せない。そのためには、他の道を探らなければならない。

# 第9章　国民意識

リベラルな社会が生み出すもう一つの不満は、市民に国民意識について前向きなビジョンをなかなか提示できないことだ。リベラリズムの理論は、自らの共同体の周りに明確な境界線を引き、その境界線の内側と外側の人々に対して負うべきものの違いを明らかにするのに大きな困難を抱える。それは、この理論が普遍主義という主張の上に成り立っているからである。世界人権宣言が主張するように、「すべての人間は、生れながらにして自由であり、かつ、尊厳と権利とについて平等である」、さらに「すべて人は、人種、皮膚の色、性、言語、宗教、政治上その他の意見、国民的若しくは社会的出身、財産、門地その他の地位又はこれに類するいかなる事由による差別をも受けることなく、この宣言に掲げるすべての権利と自由とを享有することができる」のである。リベラルは理論的には、世界のどこで人権侵害が起ころうとも問題視する。多くのリベラルは、ナショナリストが示す特定の対象への愛着を嫌い、自分は「世界市民」であると信じている。

では、普遍主義の主張と、世界を国民国家に分割することにどう折り合いがつけられるだろうか。国家の境界線をどう引くかについては、明確なリベラリズムの理論は存在しない。このため、ケベック、スコットランド、カタルーニャといった地域の分離主義をめぐって、リベラル内部の対立が起きている。移民や難民の適切な扱いをめぐっても意見の相違がある。

そうした理論を構築するとしたら、次のようなものになるだろう。すべての社会は、内部の秩序を維持し、外敵から自らを守るために、武力を行使する必要がある。リベラルな社会は、強力な国家を作り、法の支配のもとにその力を抑制することによって、これを実現する。国家の権力は、国家による保護と引き換えに、自分の好きなように行動する権利の一部を放棄することに同意した自律的な個人間の社会契約に基づいている。国家権力は、すべての成員による法の承認と、リベラルな民主主義国であれば国民の選挙によって正当化される。

自由権は国家の力によって強制されなければ意味がない。国家とは、マックス・ウェーバーの有名な定義によれば、定められた領土に対する力の合法的な独占である。国家の領域は、必然的に社会契約に同意した個人の集団が占有する領域に対応する。その管轄権の外に住む人々についても、その権利は尊重されなければならないが、必ずしも領域国家が権利を力で守るとは限らない。

したがって、限定された領土に法執行権を持つ国家は、合法的な武力行使が可能な唯一の国家であり、重要な政治的アクターであることに変わりはない。今日のグローバル化した世界では、多国籍企業、非営利団体、テロ組織、欧州連合（ＥＵ）や国連のような超国家機関など、さまざまな組織が権力を行使している。地球温暖化問題、パンデミック対策、航空安全規制など、国際協力の必要性はかつてないほど明白になっている。しかし、ある種のパワー、つまり、脅威や実際の力の行使によってルールを強制する能力は、依然として国民国家の支配下にある。ＥＵも国際航空運送協会（ＩＡＴＡ）も、自前の警察や軍隊を配備して、自分たちが定めた規則を執行することはできない。もし、規則が破られたとしても、最終的には、これらの組織に権限を与えた加盟諸国の強制力に依存することになる。今日、ＥＵの「アキ・コミュノテール」のような大規模な国際法が存在し、多くの領域で国家レベルの法律と置き換わっている。しかし、国際法は結局のところ、国家レベルの執行に依存し続けている。二〇一〇年のユーロ危機や二〇一四年の移民危機のように、ＥＵ加盟国が重要な政策について意見を異にする場合、最終的な結果は欧州法ではなく、加盟国の相対的な力関係によって決定された。つまり、最終的な権力は依然として国民国家のものであり、国民国家レベルでの権力の支配が重要であることに変わりはない。

このように、リベラリズムの普遍主義と国民国家の必要性との間には、必然的な矛盾は存在しない。人権は普遍的な規範的価値であるが、強制力はそうではなく、希少な資源であり、それは必ず領域に限定された形で適用される。リベラルな国家では、市民と非市民に異なるレベルの権利を与えるのは完全に正当なことである。世界中で普遍的に権利を保護するための資源も権限も持っていないからだ。国家の領土にいるすべての人は法の平等な保護を受けるが、市民だけが特別な権利と義務、特に選挙権を持つ社会契約の完全な参加者である。

国家が強制力の拠点であり続けるという事実があるのだから、新たな超国家機関を創設し、そうした機関に強制力を委ねるという提案には慎重であるべきだ。私たちは、数百年にわたる経験から、司法府や立法府を通じて国家レベルで権力を抑制し、また権力の均衡を維持してその行使が全体の利益を反映する方法について学んできた。例えば、グローバルな裁判所や立法府がグローバルな行政府の恣意的な決定を抑制することができるような、グローバルレベルでの制度をどのように構築するかについては、私たちには見当もつかない。EUは地域レベルでこれを実現しようとする最も本格的な取り組みだが、その結果、ある領域（財政政策、外交）では過度に弱く、別の領域（経済規制）では過度に強いという特徴を持つ、ぎこちない制度になっている。それでも、ヨーロッパには少なくとも、グローバルレベルには存在しない共通の歴史と文化的アイデンティティがある。[1]

国民国家が重要なのは、正当な権力を持ち、暴力を制御する手段であるという理由からだけではなく、共同体の唯一の源泉でもあるからだ。リベラリズムの普遍主義は、人間が本質的に持つ社会性に反している。私たちは友人や家族のような身近な存在に最も強い愛情の絆を感じる。知り合いの輪が広がれば、必然的に義務感も薄れていく。何世紀もかけて人間社会が大きく複雑になるにつれ、連帯の境界線は家族や村、部族から国家全体へと劇的に拡大してきた。しかし、人類全体を愛している人は、まずいない。世界中のほとんどの人々にとって、国民国家は依然として本能的な忠誠心を感じる連帯の最大の単位である。実際、この忠誠心は国家の正統性、ひいては統治能力を支える重要な要素となっている。ナイジェリアやミャンマーのような統一の苦難に直面している発展途上国から、シリア、リビア、アフガニスタンのような破綻国家まで、国民意識が希薄な社会がもたらす悲惨な結果を、こんにちでも、世界中で目の当たりにしている。[2]

この主張は、ヨラム・ハゾニーが二〇一八年に出版した『ナショナリズムの美徳』で、国民国家の主権に基づく世界秩序を主張したものと似ていると思われるかもしれない。[3] 米国のようなリベラルな国が、世界の他の地域を自分たちのイメージ通りにつくり変えようとする傾向が強すぎることに警告を発している点で、彼の主張には一理ある。しかし、国民国家が明確に区分された文化的単位であり、それをそのまま受け入れることによって平和な世界秩序が構築されると考えるのは間違っている。こんにちの国家は、歴史的な闘争の副産物であり、しばしば征服、暴力、強制的な同化、文化的シンボルの意図的な操作などを伴う社会的構成概念である。国民意識の形態には良いものと悪いものがあり、社会はその選択において主体性を発揮することができる。

特に、国民意識が人種、民族、宗教的伝統などの固定的な特性に基づいている場合、それは平等な尊厳というリベラリズムの原則に反する排他性をはらむ形態となる。つまり、国民意識の必要性とリベラルな普遍主義の必要性には本質的な矛盾はないが、それでも、この二つの原則の間には潜在的に強い緊張関係が存在するのである。このような状況下では、国民意識は、二十世紀前半のヨーロッパでそうであったように、攻撃的で排他的なナショナリズムに転化する可能性がある。

このため、リベラルな社会は、人種、民族、宗教的伝統などの固定的なアイデンティティに基づく集団を原則的に認めてはならない。しかし、それが不可避となり、リベラルの原則が適用されない場合がある。世界には、何世代にもわたって同じ領土を占め、独自の文化的・言語的伝統を持つ民族集団や宗教集団が存在する地域が数多くある。中東、バルカン半島、南アジア・東南アジアの多くの地域では、民族的・宗教的アイデンティティがほとんどの人々にとって事実上不可欠な特性であり、彼らをより広い国民文化に同化させることはきわめて非現実的である。しかし、複数の文化単位を包含するリベラルな政治形態を組織することは可能である。インドでは、複数の国語を認め、教育や法制度についても各州が独自の政策をとることを認めてきた。このような多様性のある国では、連邦制と地方への権限委譲が必要になることが多い。政治学者の間で「多極共存主義（コンソシアショナリズム)」と呼ばれる仕組みでは、文化的アイデンティティによって定義されたさまざまな集団に公式に権限を割り当てることができる。これはオランダではそれなりにうまくいったが、レバノン、ボスニア、イラクなどでは、アイデンティティ集団が互いにゼロサム闘争に陥ってしまい、悲惨な結果となっている。文化的集団がまだ自己重視の単位にまで固まっていない社会では、市民をアイデンティティ集団の一員としてではなく、個人として扱う方がはるかに良い。

一方、自発的に受け入れが可能で、それ故により広く共有される国民意識という側面もある。文学的伝統、歴史的物語や言語の共有、食べ物やスポーツなどがそれに当たる。

ケベック、スコットランド、カタルーニャはいずれも独特の歴史的・文化的伝統を持つ地域であり、そのいずれにも帰属する国からの完全分離を求める民族主義パルチザンが存在する。これらの地域は分離しても個人の権利を尊重するリベラルな社会であり続けることは疑いようがない。分離後のチェコとスロバキアがそうであった。これは、分離が望ましいということではなく、そうした分離は必ずしもリベラルな原理と齟齬するわけではないということだ。こうした分離要求にどう対処するか、また、リベラリズムを基本とする国家の国境をどう定義するかについて、リベラリズムの理論には大きな空白がある。結果としてそれは、原則に基づくというよりも、さまざまな実利的で経済的・政治的な配慮を総合的に勘案した結果として決定されてきたのである。

国民意識は明らかな危険をはらんでいるが、同時に好機にもなる。国民意識は社会的構成概念であり、リベラルな価値観を損なうのではなく、むしろそれを支持するように形成することができる。国民は歴史的にみれば多様な人々をこね上げるようにしてかたちづくられた。人々は、上意下達の集団としてではなく、政治的原則や理想に基づいて、強い共同体意識を持つことができる。米国、フランス、カナダ、オーストラリア、インドなどはここ数十年、人種、民族、宗教ではなく、政治的原則に基づいて国民のアイデンティティを構築しようと努めてきた国である。アメリカは、アメリカ人であることの意味を再定義するために、階級、人種、性別に基づく市民権の障壁を徐々に取り除きながら、長く苦しいプロセスを経てきた。このプロセスは挫折も経験し、いまだに完全なものとはなっていない。フランスでは、フランス革命の「人間と市民の権利宣言」によって、国民的アイデンティティの構築が始まった。宣言は共通の言語と文化に基づく市民権という理想を打ち立てた。二十世紀半ばのカナダとオーストラリアは、いずれも白人が圧倒的多数を占め、移民や市民権に関する法律が厳しかった。オーストラリアの悪名高い「白豪主義」が象徴だ。しかし、一九六〇年代以降、両国とも非人種的なアイデンティティを再構築し、米国と同様、大規模な移民を受け入れるようになった。今日、これらの国はともに、アメリカより高い比率の移民人口を抱えているが、アメリカのような社会の分断や白人の反発はほとんどない。

とはいえ、激しく社会が分裂した民主主義国家で共通のアイデンティティを形成することの難しさを過小評価するべきではない。現代のリベラルな社会の多くは、非リベラルな方法で国民意識を形成した歴史的な国々に築かれているという事実を、我々はしばしば忘れがちである。フランス、ドイツ、日本、韓国はいずれもリベラルな民主主義国家になる前に国民を形成しており、アメリカは国民を形成する前に国家をつくった。[4] その国民をリベラルな政治の枠内で定義づけるプロセスは長く、困難で、時に暴力をともなってきた。現在においても、左右両派の人々からアメリカ国家の起源についてそれぞれの鋭く対立する物語を突きつけられるという試練を受けている。

もし、リベラリズムが多様性を平和的に管理するためのメカニズムに過ぎず、より広い国家的目的意識を持たないとすれば、それは重大な政治的弱点と考えられる。暴力、戦争、独裁を経験した人々は、一九四五年以降のヨーロッパ人のように、リベラルな社会に住むことを切望している。しかし、リベラルな体制の下での平和な生活に慣れると、その平和と秩序を当然視するようになり、より高い目標へと導いてくれる政治に憧れを抱くようになる傾向がある。一九一四年、ヨーロッパでは一世紀近くも壊滅的な紛争がなく、その間に物質的な進歩があったにもかかわらず、大勢の人々が戦争に喜んで向かっていった。

私たちは、おそらく人類史の中で同じような地点にいる。世界は、四分の三世紀にわたって大規模な国家間戦争から解放され、その間に世界的な繁栄で大きく富を増やし、その結果、大規模な社会変化が起きた。ＥＵは、二度の世界大戦を引き起こしたナショナリズムへの解毒剤として誕生し、その点では期待以上の成功を収めた。しかし、人々の期待はさらに高まっている。若者は、平和と繁栄をもたらしたＥＵに感謝するどころか、むしろその小役人的な押し付けを苦々しく思っている。自由主義の根幹にある共同体意識の希薄さは、このような状況下ではより重い負担となる。

リベラルな国民意識の将来を前向きに展望すれば、多様性をうまく管理することや暴力がないことよりも、はるかに重要なことがある。リベラル派は愛国心や文化的伝統に訴えかけることを遠慮する傾向があるが、遠慮すべきではない。リベラルで開かれた社会としての国民意識はリベラル派が当然誇れるものであり、国民意識を軽視すれば極右勢力が代わってそれを奪おうとする。ここ数十年、欧米の裁判所では市民に与えられる特権が着々と切り崩され、市民と市民権のない者の間に残る区別である選挙権さえも争いの対象になっている。[5] 市民権は社会契約を受け入れたことを示す義務と権利の交換であり、それは誇りであるべきだ。リベラルなアメリカ人であることが何を意味するのかは、小説家のマイケル・シャーラによって、南北戦争のゲティスバーグの戦いの帰趨を決めた北軍将校、ジョシュア・ローレンス・チェンバレン大佐の思いとして描かれている。

（チェンバレンは）アメリカと独立した個人を信じて育ってきた。それは神への信仰よりも強い信仰であった。この国では、誰も頭を下げる必要はない。ここでは、ついに人は過去から自由になり、伝統や血の絆や王族の呪縛から解放されて、自分がなりたいと思うものになることができた……。この信じられないほど美しく新しいきれいな大地に奴隷制度があるという事実は恐ろしいが、それ以上に恐ろしいのは古いヨーロッパの恐怖、貴族の呪いであり、南部はそれを新しい土地に移植していたのだ……。彼は人間の尊厳のために戦っていたのであり、そうすることで自分自身のために戦っていたのである。[6]

歴史的に見れば、リベラルな社会は経済成長の原動力であり、新技術を創りだし、活気に満ちた芸術と文化を生みだした。これは、まさにリベラルであったからこそ起こったことである。そうした例は古代アテネに始まり、アテネの大政治家ペリクレスによって次のように言祝（ことほ）がれた。

> われわれは民主主義と呼ばれる政治形態を持っている。そこでは、私的な論争については法律の点ですべての人は平等である。高位の授与については、公的な責任を持つにあたりある人が他の人より優先されるが、それは家の評判ではなく、その人の徳の評判に従って行なわれる。国家に良い奉仕ができる限りは、無名であろうと貧困に

追いやられることはない。また、国家運営の中で自由であるばかりでなく、互いに自由であり、互いの日常生活について嫉妬することなく、自分の気質のままに怒る者もなく……。[7]

北イタリアのフィレンツェ、ジェノヴァ、ヴェニスなどの都市国家は、民主主義ではなく寡頭制であったが、それら都市国家を取り囲む中央集権的な君主制や帝国よりもはるかに自由であり、ルネサンス期以降、芸術や思想の中心地となった。リベラリズムのオランダは十七世紀に黄金時代を迎え、リベラリズムの英国は産業革命を生みだした地である。リベラリズムのウィーンは、グスタフ・マーラー、ジークムント・フロイト、フーゴ・フォン・ホフマンスタールなどの出身地であったが、二十世紀初頭にドイツなどのナショナリズムが台頭し、衰退していった。そして、次に来たリベラリズムのアメリカは、数十年にわたって閉鎖的な国々からの難民を受け入れながら、ジャズやハリウッド映画からヒップホップ、シリコンバレーやインターネットに至るまで、グローバル文化を生み出す地となったのである。

リベラルな社会が、イノベーション、テクノロジー、文化、そして持続的な成長を生み出せるかどうかが、これからの地政学を左右するのである。習近平政権下の中国は、権威主義のもとで世界の覇権を握ることができると主張し、西洋、特にアメリカは末期的な衰退の一途をたどっているという。この自由でない政治・経済モデルが、今後、イノベーションと成長をもたらすことができるのか、魅力的なグローバル文化を生み出すことができるのか、現時点では分からない。過去四十年間における中国の驚くべき成長物語は、多くがリベラリズムとの触れあい、一九七八年の鄧小平の改革に始まる中国経済の開放、そして活気ある民間部門の創出から生まれたものであった。ハイテク産業の成長の大部分を担ってきたのは、鈍重な国有企業ではなく、民間企業である。こんにち中国が広く賞賛されているのは、その経済的成功と技術的卓越性のためだ。その自由のない社会モデルに対する広い尊敬などみられない。中国国民になることを切望する人々が何百万人もいるわけでもない。

将来的に未解決の問題は、リベラルな社会は、自らが作り出した内部分裂を克服することができるかどうかということである。多様性を統治する制度的メカニズムとして始まったリベラルな社会は、そのメカニズムそのものを脅かすような新しい形態の多様性を生み出した。リベラルな社会が権威主義の台頭する世界と競争していくためには、軌道修正をしなければならない。

# 第10章　自由主義社会の原則

本書では、古典的リベラリズムの理論的基盤と、それが不満や反発を生んだ理由のいくつかについて説明を試みた。リベラリズムをひとつの統治形態として維持するためには、これらの不満の原因を理解することが必要である。その理解に基づいて、現在の不満や不安を軽減するための政策対応について長いリストを作ることができる。それは失業、医療政策、税制から、警察、移民、インターネット規制までがテーマとなろう。しかし、そうするよりは、具体的な政策立案の指針となるべき一般原則を示してみたい。基本的な理論から導かれる原則である。

これらの原則の多くは、特にアメリカに適用されるものである。アメリカは長い間、世界をリードするリベラリズムの大国であり、過去数年間は世界中の多くの人々にとって「自由のかがり火」であった。私は別のところで、アメリカの制度は時間の経過とともに崩壊し、硬直化して改革が難しくなり、エリートだけが勝手に利用する状態に悩まされていると論じてきた。抑制均衡（チェック・アンド・バランス）の複雑な憲法構造が、政治的分極化の進行と相俟って、アメリカの制度は行き詰まり、毎年の国家予算をはじめとして多くの基本的な統治課題に取り組めないままになっている。これは、私が「拒否権政治（ベトクラシー）」と名付けた状態である。[1] アメリカがその根本的な構造問題を解決しないなら、世界で台頭する権威主義の大国と効果的に競争することはできないだろう。アメリカで見られる諸問題の多くは他の自由民主主義国にも影響を及ぼしており、アメリカがリベラリズムの原則を明確にし、守っていければ、広い範囲で適用される可能性がある。

古典的リベラリズムは、多様性のある社会を治める手段として理解されるかもしれない。ナショナリスト・ポピュリストの右派と進歩的な左派はともに、社会に存在する実際の多様性を受け入れることでは問題を抱えている。ナショナリスト・ポピュリスト右派の強硬派は、民族ナショナリストとでも呼ぶべき人々で、二〇二一年一月六日にアメリカの連邦議会議事堂を襲撃した暴徒の多くがそれであった。彼らが恐れる多様性は、人種、民族、ジェンダー、宗教、性的指向といった分野に関連するものである。そうした恐れを突き動かしているのは、アメリカの人口構成が変化し、自分たちのような人々が非白人の移民や、都市部でその数を着実に増やしている過激な世俗的進歩主義者に「取って代わられる」可能性である。

こんにちのアメリカの保守派が直面している課題は、歴史的に他国の保守派が直面してきた課題と何ら変わるところはない。保守派は常に人口構成の変化と社会の変化に対応してきた。十九世紀から二十世紀初頭のヨーロッパでは、イギリスやドイツの保守政党の主要な社会的基盤は、既存の社会階層に依存する地主と、工業化を自分たちの生活様式に対する脅威とみなす一部の貴族や中産階級であった。どの国の社会でも、農民が農村を離れ、都市部の人口が増加して、急激な社会の変化が起きた。そうした都市住民の動員が次第に進み、労働組合が結成され、社会主義や共産主義の政党が新しい労働者階級を基盤に創設され始めたのである。アルゼンチンも二十世紀初頭に同様の状況に直面し、大地主や実業家階層は、左翼政党によって組織された都市プロレタリアートの成長を恐れた。プロレタリアートは選挙のたびごとに投票率を上げ続けた。

保守派は、人口動態の変化に直面して、二つの選択肢のうちの一つを迫られた。あからさまに権威主義的な方向に進み、民主的選挙を中止して政権を取るか、選挙結果を強引に操作するかであった。ドイツの保守派は、一八七一年のビスマルクによる国家統一後、はじめは選挙権を制限し、立法府の権限を限定しようとした。結局、多くの保守派は、極左に代わる選択肢として、ヒトラーとナチ党を支持するようになった。アルゼンチンでは、保守派は一九三〇年の軍事クーデターを支持し、これを皮切りにその後二世代にわたってクーデターが続いた。

一方、英国の保守派は異なる反応を示した。社会の変化を受け入れ、それを管理しようとした。一八六七年、保守党のディズレーリが第二次選挙法改正を断行し、選挙権を大幅に拡大した。ディズレーリは、同僚の保守党員たちから、自身の属する社会階級に対する裏切り者として糾弾された。しかし、［政治学者］ダニエル・ジブラットが言うように、ディズレーリは、その後十九世紀末まで続く英国政治における保守党優位の基礎を作ったのである。[2] 新たに選挙権を得た有権者は、愛国心の強調や、大英帝国への支持など、保守党を支持する理由をいくつも見いだした。このように、英国の民主主義を強固なものにしたのは保守派であり、それは、社会の階級が多様性を増すことと、その多様性の基盤となった社会変化を受け入れたからである。

現代のアメリカの保守派は、こんにち、同様の選択に直面している。保守過激派は、左翼から自分たちを守るには暴力しかないと思い込んでいる。この集団が反民主主義的に権力を掌握しようとして米軍の支持を取り付けることは、まずありえないだろう。しかし、この層の人々の銃の所有率を考えると、あからさまな暴力が問題でありつづけることは容易に予想できる。

それよりもはるかに大きな脅威は、保守派が公然と投票権を制限し、選挙を操作しようとしていることだ。これは二〇二〇年十一月の大統領選挙よりかなり前から始まっていたが、ドナルド・トランプが大規模な不正投票の被害者であるという誤った主張に基づいて、共和党の大きな関心事となった。トランプ自身が認めているように、投票権を持つすべてのアメリカ人が投票すれば、「この国で共和党員が［大統領に］選ばれることは二度とないだろう」[3]。

このトランプの主張を支持する保守派の多くは、民主主義という理念を捨てたわけではない。彼らは、前大統領とそのメディアの協力者がそう言っているのだから、選挙は反対党に盗まれたのだと、本気で信じているのである。この人たちは本能的に権威主義であるというより、情報メディア・システムの産物なのである。そのシステムは、彼らがこうあって欲しいと思っていることを承認してくれて、ある狙いを持って彼らの期待を支持してくれる。そうした背景にもかかわらず、結果としては、将来の選挙結果を覆す必要性があると思い込み、共和党を反民主主義的なものに変えてしまうという、民主主義を否定する動きになっている。

彼らが考えている方向に進んで行けば、言うまでもなく、健全な政治をつくり出すことなどあり得ず、アメリカのリベラルな民主主義に存亡の危機をもたらす。保守派は、右翼的なアイデンティティ政治ではなく、保守的な政策が多くの有権者を引きつけることを認識し、ディズレーリの手法に倣って、人口構成の変化を受け入れることができるはずだ。二〇二〇年の選挙では、多くの少数派集団が共和党候補への支持を高めたが、これは、多くの有権者が民族主義ナショナリズム政策への支持以外に共和党に投票する理由を持っていることを示唆している。最近の移民の多くは［妊娠中絶反対や家族重視の］社会的保守であり、左翼的なアイデンティティ政治が提示するアメリカンドリームではなく、昔ながらのアメリカンドリームを信じ続けている。彼らは、投票制度の操作の産物ではなく、真の保守的多数派の基盤になりうるのである。

保守派が古典的リベラルの原則を受け入れることは、次のような意味を持っている。保守派は人口構成の多様性を受け入れ、それを利用して、アイデンティティの固定的側面に縛られない保守的な価値観を支持する必要がある。

進歩的左派も同様に、この国の実際の多様性を受け入れることができないという問題を抱えている。このグループにとっての多様性とは、主に人種、民族、性別、性的指向に関連する特定のタイプの社会的差異を指す。政治的な多様性や宗教的な多様性は含まれないことが多い。特に保守的なキリスト教徒が持つ宗教的多様性は含まれない。批判理論によってつくり出された知的構造を使って、進歩派は、社会の保守派全体を、かつての特権に不当にしがみつく人種差別的で男性中心の権力構造の一部であるとして切り捨てる。妊娠中絶や同性婚などの問題に対し深く根付いている宗教的信条は、重要な道徳的問題に対するひとつの理解としてあり得るものだと許容することはせず、根絶されるべき偏見と先入観の一例に過ぎないとみなす。

進歩的な人々は、国民のおよそ半分が彼らの目標にも方法にも同意していないし、選挙を通して半分の国民に対し圧倒的勝利をおさめることはありえないという事実を受け入れなければならない。保守派は、この国の人種や民族の構成が変化していること、女性が職業上も私的生活の場でもあらゆる地位を占め続けること、そして男女の役割が大きく変化していることを受け入れる必要がある。進歩派も保守派も、大多数の国民がひそかに自分たちに同意しているのに、それをはっきりと言えないのは、メディア操作を通じてさまざまなエリートにより誤った認識が広められているからだという希望的観測をしている。これは危険なごまかしであり、党派性を持つ人はそれによって、実際の多様性をないものだと思い込む。古典的リベラリズムは、いま、これまで以上に必要とされている。なぜなら、アメリカは（他のリベラルな民主主義国家と同様に）かつてないほど多様化しているからである。

このようなさまざまな形の多様性を管理するのに役立つ一般的なリベラリズムの原則がある。まず、古典的リベラル派は政府の必要性を認め、経済成長と個人の自由にとって不可避の敵として国家を悪者にしてきたネオリベラリズム（新自由主義）の時代を乗り越える必要がある。逆に、現代のリベラルな民主主義が正しく機能するためには、政府に対する高い信頼が必要である。やみくもな信頼ではなく、政府が重要な公共目的を果たしているという認識から生まれる信頼である。こんにちのアメリカでは、国家が怪しげなエリートによって操られ、自分たちの権利を奪っているという奇妙な陰謀論を市民が信じ、国家から武力で身を守らなければならないときを想定して武装するところにまで至っている。

左派の側にも、国家に対する怖れと嫌悪がある。国家は強力な企業利益団体に取り込まれ、CIAや国家安全保障局（NSA）は監視によって一般市民の権利を損ない続けており、警察は主に白人特権を行使するために存在すると考える人が多いのだ。どちらの側も、政府を無能で腐敗した非合法な存在と見なす傾向がある。

リベラルな国家にとって緊急の課題は、何十年も前から左右が争ってきた政府の規模や権能の範囲とは関係がない。むしろ問題は、政府の質である。国家の能力、つまり国民に必要なサービスを提供するのに十分な人的・物的資源を持つ政府の必要性を避けて通ることはできない。近代国家は情実で動いてはならない。つまり、その時々に権力を行使する政治家の個人的、政治的、家族的なつながりではなく、平等で均一な基盤の上で国民に向き合うべきである。現代の国家は、マクロ経済政策から公衆衛生、電波周波数規制、天気予報まで、あらゆる複雑な政策課題に対処しなければならず、その任務をこなすには、強い公共目的意識を持った高学歴の専門家を採用する必要がある。

リベラルな国家群は、長期的な経済成長を実現することでは非常に成功しているが、GDPの成長だけを、成功の唯一の尺度と見なすことはできない。その成長を分配し、一定の所得と富の平等を維持することは、経済的・政治的な理由から重要である。不平等が極端に拡大すれば、総需要は停滞し、体制に対する政治的反発が強まる。富や所得の再分配という考え方は、多くのリベラルに忌み嫌われてきたが、実際問題として、現代のすべての国家は多かれ少なかれ資源の再分配を行なっている。社会的保護は、インセンティブを損なわず、長期的に公的資金で支えることができる持続可能な水準に設定することが課題である。

さらにリベラリズムの原則は、連邦主義（ＥＵでは「補完性」という用語を使う）を真剣に考え、権力を最も低い適切なレベルの統治機構へ委譲することである。医療や環境といった分野での連邦政府の野心的な政策の多くは、州レベルで統一的に実施されることを想定して展開されてきた。連邦制を真剣に考えるということは、より広い範囲の問題をより低いレベルの政府に委譲し、それらのレベルで市民の選択を反映できるようにすることである。健康や環境といった政策分野では、共通の基準を適用させることがより望ましいかもしれないが、それがどんなに望ましいことであっても、民主的自治が適用の統一性よりも優先されるべきである。一般に、州、郡、市町村は、ゴミ収集や警察機能といった身近な問題に対処しなければならないため、そのアプローチはより現実的なものになる傾向がある。近年のアメリカ政治における大きな問題の一つは、こうした地方レベルが、国家レベルで起きている分断の悪い影響を受け、地方の状況への対応能力を阻害されていることである。

しかし、州レベルの決定には、実際に憲法の基本的権利に従わずに、リベラルな民主主義の基本的性格そのものに影響を与えるものがある。「州権」は、奴隷制度とその後も残った差別的なジム・クロウ法を擁護するのに使われた旗印だった。アフリカ系アメリカ人の法的平等を州に認めさせる上では、連邦政府が重要な役割を果たしたのである。残念ながらこの問題がアメリカの政治で再浮上している。多くの州で共和党主導の議会が、民主的な選挙の結果を覆すことを事実上可能にし、特にアフリカ系アメリカ人の投票を難しくするような法案を可決したり、提案したりしている。選挙権は憲法修正第十五条で疑う余地もなく保障されている。投票権は、中央政府の力によって守られる必要のある基本的権利である。

守るべき必要のある第三の一般的なリベラリズムの原則は、言論の限界を適切に理解した上で、言論の自由を守る必要があることである。言論の自由は政府によって脅かされるものであり、その点は引き続き懸念の対象として適切である。しかし、言論の自由は、ある特定の声を他の声より人為的に増幅するメディア組織やインターネット・プラットフォームなどの私的権力によっても脅かされる可能性がある。これに対する適切な対応は、こうした私的行為者の言論を国家が直接規制することではなく、むしろ独占禁止法や競争法を通じて、まず私的権力の大規模な集中を防止することである。[4]

リベラルな社会は、個人を取り囲むプライバシーの領域を尊重する必要がある。プライバシーは、民主的な熟議と妥協を促進する必要条件であり、もし個人が率直に自身の見解を表明することを期待するなら、必要である。これはまた、リベラリズムの寛容の原則から派生する概念でもある。社会の実際の多様性を認識すれば、市民は互いに思想の統一を義務づけられることはない。これは合衆国憲法修正第一条の根底にある原理であり、世界中の他の基本法に謳われている言論の自由の権利も同じ原理に基づく。しかし、アメリカでは近年、連邦政府が若者の性的行動だけでなく、セクシュアリティについての考え方そのものを規制しようという危ういところまで来ている。[5]

とはいえ、言論、特に公的な言論は、多くの規範によって統制される必要がある。国家によって公布される規範もあれば、民間団体によって施行される規範もある。リベラルな社会は最終的な目的については意見が分かれるものだ。だが基本的な事実について合意し、認識論的相対主義への転落を食い止めることができなければ、リベラルな社会は機能しなくなる。事実関係を判断するための技術は確立されており、裁判やプロのジャーナリズム、科学界で何年も使われてきた。これらの組織が時には間違っている、あるいは偏っていたことが明らかにされることがあっても、情報源としての特別な地位を失うべきだということにはならないし、インターネット上で表明されるような、別の見方が正しいということにもならない。リベラルな社会における民主的な熟議を支える礼節と理性的な言論を促進するために必要な規範は他にもある。さらに、公の場での発言に関する規範は普遍的に適用されるべきであり、発言者のアイデンティティによって、発言が許される内容が決められるべきではない。

第四のリベラリズムの原則は、文化的集団の権利よりも個人の権利を優先させ続けることである。このことは、すでに本書で述べた次の指摘と矛盾するものではない。個人主義は歴史的に偶発的な現象であり、社会的行動に対する人間の自然な傾向や能力とはしばしば相反するものである。それにもかかわらず、我々の制度が集団の権利よりもむしろ個人の権利に焦点を当てる必要がある理由がいくつかある。

人は帰属する集団によって完全に定義されることはなく、個人としての主体性を発揮し続ける。集団のアイデンティティによって自己が形成された面もあることを理解することは重要かもしれないが、社会が人を評価するにあたっては、個人として行なう選択も考慮しなければならない。集団に対しての認識は、集団間の差異を是正するのではなく、硬化させるおそれがある。集団としての「結果の不平等」は、複数の社会的・経済的要因の相互作用の副産物であり、多くは政策の修正能力をはるかに超えたものである。社会政策は社会全体で成果を均等にすることを目指すべきであるが、それは人種や民族のような固定的なカテゴリーではなく、階級のような流動的なカテゴリーに向けられるべきものである。

個人主義は歴史的に見て偶発的に生まれたものであっても、現代人の自己理解の方法として深く浸透しているため、それを抑え込むのは難しい。現代の市場経済は、柔軟性、労働力の流動性、革新性に大きく依存している。もし取引が限られた文化的境界の中で行なわれるべきならば、市場の規模や文化の多様性から生まれるイノベーションの種類は必然的に制限されることになる。個人主義とは、ある種の批判理論が主張するような西洋文化に特有にみられる文化特性ではない。それは、社会経済的な近代化の副産物であり、さまざまな社会で徐々に起こっている。

最後のリベラリズムの原則は、人間の自律性は無制限ではないという認識と関係がある。リベラルな社会は、人間の尊厳、つまり個人は選択ができるのだということに根ざした尊厳が平等であることを前提としている。そのため、基本的な権利として自律性を守ることに熱心である。

しかし、自律はリベラルの基本的な価値観であるが、それは良き生き方に関する他のすべてのビジョンに自動的に優先する、唯一の人間的な善ではない。これまで見てきたように、自律の領域は時代とともに着実に拡大し、既存の道徳的枠組みの中でルールを守る自由から、自分自身でそうしたルールをつくる自由へと広がってきた。しかし、自律性の尊重は、深く抱かれたさまざまな信念の競争を管理し、緩和するためのものであって、それらの信念を根底から覆すべきものではない。すべての人間が、自分の個人的な自律性を最大限に高めることが人生の最も重要な目標だと考えているわけではないし、既存のあらゆる権威の形態を崩壊させることが必ずしも良いことだとも考えていない。多くの人は、自分と他人を結びつける宗教的・道徳的枠組みを受け入れたり、継承された文化的伝統の中で生活することで、選択の自由を制限することに満足している。合衆国憲法修正第一条は、宗教の自由な活動を保護するためのものであり、宗教から市民を守るためのものではない。

　成功しているリベラルな社会は、たとえそれが単一の宗教的教義に縛られた社会が与えるものより薄いビジョンであっても、独自の文化と良き生き方に対する理解を持っている。リベラルな社会を維持するために必要な価値観に関して、中立ではありえない。もし、社会がまとまろうとするのであれば、公共心、寛容さ、開かれた心、公共問題への積極的な関与を優先させる必要がある。また、経済的に繁栄したいのなら、イノベーション、起業家精神、リスクへの挑戦を尊重する必要がある。個人的な消費を最大化することだけにしか関心がない内向きな個人の社会は、社会とは呼べない。

　人間は、自分自身をどのようにでもつくり変えることができる、気ままに漂う存在ではない。そんな存在はネット上のバーチャルな世界にしかいない。私たちはまず肉体によって制限されている。テクノロジーは、肉体によって課された制約から人々を解放するために、多くのことを成し遂げた。厳しい肉体労働から人々を解放し、寿命を大幅に延ばし、多くの病気や障害を克服し、私たち一人ひとりが処理できる経験や情報を増大させたのである。テクノ・リバタリアンの中には、私たち一人ひとりが完全に肉体から離れた意識としてコンピュータにアップロードされ、事実上永遠に生き続けることができるようになる未来を想像している人もいる。われわれの世界体験は、スクリーンによって媒介されることがますます多くなっている。それは代替現実の中にいる代替存在としての自己を容易に想像させてくれる。

しかし、現実の世界は依然として異なっている。意志は肉体に埋め込まれ、個人の主体性の構造を決めると同時に、その範囲を限定しているのだ。ほとんどの人が自分の肉体から解放されたいと思っているわけではない。私たち個人のアイデンティティは、生まれながらの肉体、そしてその肉体と私たちが暮らす環境との相互作用に根ざしたままだ。私たちの個人としての存在は、意識と肉体の相互作用とその相互作用の長い間の記憶の産物である。私たちが経験する感情は、私たちの肉体の経験に根ざしている。そして、私たちの市民としての権利は、この肉体と自律した精神の双方を保護する必要性のうえに成り立っている。

リベラルな社会の最後の一般原則は、古代ギリシアの基本的考え方から借りたものだ。μηδεν αγαν（mēden agan）という言葉があるが、これは「すべて過剰ではなく」という意味で、σοφροσυνη（sophrosunē）、つまり「中庸」を四大徳のひとつとみなしている。現代では「中庸」を重んじることはほとんどなくなった。大学院生はことあるごとに「情熱に従え」と言われるし、過激な生き方をする人も批判を受けるのは健康を損ねた時だけだ。中庸とは、自制心を意味し、また必要とする。極限までの感動や最大の達成を求めないように意識的な努力を必要とする。中庸は自己の内面を人為的に制約するものと見なされるが、内面を最大限に表現することは、人間の幸福と達成の源とされる。

しかし、ギリシア人は、個人の生活と政治に関して、何かを摑んでいたのかもしれない。中庸は一般に悪い政治原理ではなく、特に最初から政治的情熱を鎮めることを意図していたリベラリズムの秩序にとっては、そうである。売買や投資の経済的自由が良いことだとしても、経済活動からあらゆる制約を取り払えば、さらに良いということにはならない。個人の自律性が充実感の源であるとしても、無制限の自由と制約の絶え間ない破壊が人をより充実させるということにはならない。時には、制限を受け入れることで充実感が得られることもある。個人として、共同体として中庸を取り戻すことが、リベラリズムそのものの再生、いや、存続の鍵になるのである。

# 訳者あとがき

本書はアメリカの政治思想家フランシス・フクヤマが二〇二二年春に公刊した著書 *Liberalism and Its Discontents* の全訳である。本書の元になったのは二〇二〇年十月にフクヤマがオンライン論壇誌「アメリカン・パーパス（*American Purpose*）」の創刊に当たって寄せた同じ題名の巻頭エッセーだ。同誌は、フクヤマが中心となって二〇〇五年に創刊し米論壇で地歩を固めた論壇誌「アメリカン・インタレスト」が諸事情で廃刊となった後を受け、再びフクヤマを軸として新たな態勢を組んで出発した。新オンライン論壇誌の当面の大きな課題は、当時目前に迫っていた二〇二〇年米大統領選挙であり、選挙の帰趨がいかにアメリカの自由（リベラリズム）と民主主義にとって重大な意味を持つかを訴えていくことであった。創刊に当たって、アメリカのリベラリズムがトランプ前大統領に象徴される右派ポピュリズムからだけでなく、左派のアイデンティティ政治からも攻撃を受けて、隘路のなかにあることを訴えるフクヤマのエッセーの力強さには感銘を受けた。

フクヤマはただちに論考を敷衍し小著としてまとめる作業に入り、二〇二一年秋には執筆を終えていた。英国で翌二二年三月に先行発売されるころには、新たな情勢によって本書はまた別の意味を持つことになり、世界的な反響が起きた。新たな情勢とはウクライナ戦争の勃発（同二月下旬）である。世界の自由と民主主義を主導してきたアメリカにおけるリベラリズムの危機は、もはや国内問題として以上に、国際的意味合いを強めることになった。開戦から十日も経たない三月上旬、世界的な経済紙である英フィナンシャル・タイムズはさっそく、本書の英国での先行発売を目前にしたフクヤマの長文寄稿を週末版で二頁にわたって掲載、フクヤマは「リベラルな世界秩序を当然なものだと思うことはできない。常に闘いとっていかねばならない」と述べ、「一九八九年の精神」を呼び覚ますよう訴えた。一九八九年には、「ベルリンの壁」が市民の手で打ち壊され（同年十一月）、欧州における冷戦は終結したとみなされた。東欧諸国が一挙に共産主義から自由で民主的な体制に移行していき、世界は多幸感（ユーフォリア）に満ちた。さかのぼってその年の初夏、フクヤマは米外交論壇誌にエッセー「歴史の終わり？」を発表、冷戦終結を直前に予言し、その後の世界の行方を見通したとして、世界的な注目を浴びた。今回はその逆が起きた、とも言えそうな状況となった。

それにしても、フクヤマの世界的論客としての息は長い。エッセー「歴史の終わり？」

を発展させた『歴史の終わり』（原著一九九二年）以降、ほぼ三、四年置きに著書を公刊、そのたびに世界的に注目されている。そのほかおびただしい数の論考を論壇誌や新聞に発表、講演や民主化支援活動でも世界中を飛び回っている。すでに七十歳を超えたが、これらの活動のペースは、いまのところ衰えそうにもない。カール・マルクスによる階級闘争論の影響は百年以上続き、今また息を吹き返す気配も感じられるが、その向こうを張ってフクヤマが三十年前に打ち出した「歴史の終わり」論は、修正を加えながら今日に至っており、百年以上は世界で論じられ影響を及ぼし続けるのではないか。そう想像したくなる。現在籍を置いているスタンフォード大学近くのフクヤマの居宅の書棚に、京都帝国大学経済学部創設に関わった祖父（母方）、河田嗣郎（一八八三〜一九四二年）が欧州遊学の際に入手したという『資本論』第一巻の初版本が置かれているのは象徴的だ。ともにヘーゲル哲学から派生したマルクスとフクヤマの世界観が競い合うのは、必然のようにも思える。

そうしたフクヤマの著作活動における本書の位置付けを考えてみたい。冒頭に指摘したように、本書は直接的にはアメリカにおける二〇一六年大統領選でのトランプ大統領登場以降のリベラリズムと民主主義の危機的状況に対するフクヤマの分析と処方箋として書かれた。他方で、直前の著書『アイデンティティ』（原著二〇一八年）同様に、フクヤマの三つの主著の中で論じられていた個別テーマについての論述でもある。三つの主著とは

『歴史の終わり』、『政治の起源』(原著二〇一一年)、『政治の衰退』(同二〇一四年)だ。後者二点は一繫がりだから、主著は二つと考えてもよい。『歴史の終わり』は人類社会の政治制度はリベラリズムと民主主義、経済活動においては資本主義を最終形態とするほかにないことを説いた。なぜそうなるのか、そこに至る道筋を人類誕生から精緻にたどったのが『政治の起源』であり、リベラリズムと民主主義がこんにち陥った困難の背景を描きだしたのが『政治の衰退』である。これが、フクヤマの主著の大きな見取り図だ。あるいは、後者二著が『歴史の終わり』に足りなかった歴史的視点を補って、三著で大きな「歴史の終わり」論を構成している、とも言える。これら三点が「フクヤマ宇宙」の恒星であるとすれば、他の(論文も含めた)著作はそれらの周りの惑星、あるいは惑星の周りの衛星といってもよいかもしれない。大きな「歴史の終わり」論を支える個々の論点についての著作群が三つの主著の周りに置かれているというかたちだ。本書も惑星のひとつになる。ただ、「歴史の終わり」の中核要素であるリベラリズムを扱っているという意味では、きわめて重要な惑星だといえる。

一般に(著書を読んでいないための)単純な誤解が多いので付け加えるが、「歴史の終わり」とは、時間の流れの中で起きる事件や事変が終わるという意味ではない。フクヤマ自身も指摘するように「終わり(end)」とは終結という意味ではなく、むしろ目標という意味を込めて使っている。「歴史」とは政治制度をめぐる思想闘争のことである。マルクスは人類の歴史は階級闘争であり、その終着点ないし目標は労働者階級の勝利であるとしたが、フクヤマは政治制度をめぐる思想闘争はリベラルな民主主義が最終到達点だと論じた。「歴史の終わり」に至った後も、「承認」の問題をめぐってナショナリズムやアイデンティティの闘争が起き続けることは『歴史の終わり』で指摘済みのことである。そのことについては前著『アイデンティティ』で改めて敷衍している。本書は、その「歴史」の最終到達点における重要な要素としてのリベラリズムが、いまリベラルな民主主義の先導者であったアメリカをはじめ、各地で危機に陥っている状態について分析し、考え得る範囲での処方箋を示している。本書の概要については、著者自身が序文で簡潔に説明しているので繰り返さない。以下、本書を読む上でのポイントと思われる点を指摘する。

近年、特にトランプ現象と英国の欧州連合（EU）離脱後、「民主主義の危機」を論ずる本はいくつも出ているが、本書が論ずるリベラリズムの危機とどう関連するのか。いま「民主主義の危機」と言われているのは、本質的にはリベラリズムの危機のことである。民主主義とは国民による統治であり、それは普通選挙権を付与したうえでの定期的に行なわれる自由で公正な二大政党制ないし多党制の選挙として制度化されている。そうした選挙を経たうえで選ばれた人々による統治でも、権力行使などに問題が起きる。それを制御するのが、「法の支配」すなわちリベラリズムである。欧州における宗教戦争の悲惨を通して生まれたリベラリズムは、宗教が求めるような高い理想（「良き生き方」）を追求する手段ではない。「寛容」こそがその基本原則であり、個人の「生」と自律（選択の自由）を保障する手段だ。経済成長と繁栄を支えてきたのもリベラリズムである。フクヤマは、このリベラリズムが二十世紀後半から極端に行き過ぎたかたちをとり、自らを損ないだしたとみる。右派による経済リベラリズムの極端化が「ネオリベラリズム（新自由主義）」であり、醜悪なまでの格差を招いた。左派による「個人の自律」の極端化がアイデンティティ政治であり、リベラリズムの根幹である「寛容」を損なっている。

新自由主義の失敗がポピュリズムの反乱（トランプ現象、英国のEU離脱……）を引き起こしたことはフクヤマ以外の論客たちもさまざまに論じている。フクヤマ思想の流れを追ってきた訳者から見て、彼らしい深さを見せるのは、むしろ「個人の自律」の行き過ぎによる左派の失敗の分析である。戦後アメリカのリベラリズムの思想的支柱となってきた『正義論』のジョン・ロールズが、自律性を絶対化していることを問題視している。フクヤマがチャールズ・テイラーやマイケル・サンデルら「コミュニタリアン」によるロールズ批判に一定の共感を示しているのは、興味深い。三十年前の『歴史の終わり』から十年前の『政治の起源』など二著に至るまでのフクヤマの理論修正で注目すべきなのは、『歴史の終わり』にはなかった「国家」の役割の重視と、北欧的な社会民主主義的政治への共感だ。フクヤマがアメリカ的個人主義によるリベラリズムから距離を置きだしていることには、留意したい。

もう一点、左派への批判として注目すべきなのは、アイデンティティ政治の中に入り込んだ「批判理論」に対するフクヤマの厳しい視線だ。フクヤマは現在の「批判理論」の淵源をヘルベルト・マルクーゼの思想に依拠する集団間での不平等是正と、それに伴う個人主義批判にあるとみている。そこからさらにさかのぼって、言語学者ソシュールから始まる構造主義、ポスト構造主義、ポストモダニズムがリベラリズムを破壊していると断罪している。こんにち「キャンセルカルチャー」などと保守派から揶揄される現象の奥にフーコー思想のネガティブな影響を指摘し、その影響が実はアメリカの右派にも達していることを論じる箇所などは、本書の読みどころだろう。フクヤマの来歴を知る者なら、彼が若き日にジャック・デリダやポール・ド・マンらポストモダン思想家のもとで一時学びながら、彼らと決別していった経緯を思い起こすだろう。

本書では、リベラリズムに対する左右からの攻撃を主に扱っているが、リベラリズムの基礎となる「言論の自由」に対しソーシャルメディアの巨大プラットフォーム企業が及ぼす危険にも一章が充てられている。フクヤマはかつてバイオテクノロジーがリベラルな民主主義に及ぼす危険について、一冊の本を著し警鐘を鳴らした。ソーシャルメディアと言論の問題についても、さらなる彼の論議の展開を待ちたい。

最後に、本書の訳出・出版に当たっては、新潮社の内山淳介氏に編集の労をとっていただいた。記して、お礼を申し上げる。

二〇二三年一月吉日

会田弘継

訳者　会田弘継

1951年生まれ。東京外国語大学卒。共同通信社でジュネーブ支局長、ワシントン支局長、論説委員長などを歴任し、現在は関西大学客員教授。アメリカ保守思想を研究。著書に『追跡・アメリカの思想家たち〈増補改訂版〉』（中公文庫）、『破綻するアメリカ』（岩波現代全書）、『トランプ現象とアメリカ保守思想』（左右社）、『世界の知性が語る「特別な日本」』（新潮新書）などがあるほか、訳書にフランシス・フクヤマ『政治の起源（上・下）』『政治の衰退（上・下）』（ともに講談社）、ラッセル・カーク『保守主義の精神（上・下）』（中公選書）などがある。

リベラリズムへの不満（ふまん）

発　行　2023年3月15日

著　者　フランシス・フクヤマ
訳　者　会田弘継（あいだひろつぐ）

発行者　佐藤隆信
発行所　株式会社新潮社
〒162-8711　東京都新宿区矢来町71
電話　編集部　03-3266-5611
　　　読者係　03-3266-5111
https://www.shinchosha.co.jp

組　版　新潮社デジタル編集支援室
印刷所　株式会社光邦
製本所　加藤製本株式会社



ISBN978-4-10-507321-3 C0098

装幀　石間淳

# 参考文献


Appelbaum, Binyamin. *The Economists' Hour: False Prophets, Free Markets, and the Fracture of Society.* Boston: Little, Brown, 2019.

Berger, Suzanne, and Ronald Dore. *National Diversity and Global Capitalism.* Ithaca, NY: Cornell University Press, 1996.

Bloom, Allan. *Giants and Dwarfs: Essays 1960-1990.* New York: Simon and Schuster, 1990.

Bork, Robert H. *The Antitrust Paradox: A Policy at War with Itself.* New York: Free Press, 1993.

Breton, Albert. *The Economics of Transparency in Politics.* Aldershot, UK: Ashgate, 2007.

Bull, Reeve T. "Rationalizing Transparency Laws." *Yale Journal on Regulation Notice & Comment* (September 30, 2021).

Burton, Tara Isabella. *Strange Rites: New Religions for a Godless World.* New York: Public Affairs, 2020.

Cass, Oren. *The Once and Future Worker: A Vision for the Renewal of Work in America.* New York: Encounter Books, 2018.

Christman, John. *The Politics of Persons: Individual Autonomy and Socio-Historical Selves.* Cambridge, MA, and New York: Cambridge University Press, 2009.

Coates, Ta-Nehisi. *Between the World and Me.* New York: Spiegel and Grau, 2015. 邦訳：タナハシ・コーツ（池田年穂訳）『世界と僕のあいだに』（慶應義塾大学出版会、2017年）

Cudd, Ann E. *Analyzing Oppression.* New York: Oxford University Press, 2006.

Deneen, Patrick J. *Why Liberalism Failed.* New Haven, CT: Yale University Press, 2018. 邦訳：パトリック・J・デニーン（角敦子訳）『リベラリズムはなぜ失敗したのか』（原書房、2019年）

Derrida, Jacques. *Of Grammatology.* Baltimore, MD: Johns Hopkins University Press, 2016. 邦訳：ジャック・デリダ（足立和浩訳）『グラマトロジーについて　根源の彼方に（上・下）』（現代思潮社、1972年）

DiAngelo, Robin. *White Fragility: Why It's So Hard for White People to Talk About Racism.* Boston, MA: Beacon Press, 2020.

Dreher, Rod. *The Benedict Option: A Strategy for Christians in a Post-Christian Nation.* New York: Sentinel, 2017.

Fanon, Frantz. *The Wretched of the Earth.* New York: Grove Press, 2004. 邦訳：フランツ・ファノン（鈴木道彦ほか訳）『地に呪われたる者』（みすず書房、1984年）

Fawcett, Edmund. *Liberalism: The Life of an Idea.* Princeton, NJ: Princeton University Press, 2014.

Ferguson, Niall. *Doom: The Politics of Catastrophe.* New York: Penguin Press, 2021. 邦訳：ニーアル・ファーガソン（柴田裕之訳）『大惨事（カタストロフィ）の人類史』（東洋経済新報社、2022年）

Foucault, Michel. *Discipline and Punish: The Birth of the Prison.* New York: Vintage Books, 1995. 邦訳：ミシェル・フーコー（田村俶訳）『監獄の誕生』（新潮社、1977年）

———. *Madness and Civilization: A History of Insanity in the Age of Reason*. New York: Vintage Books, 2013. 邦訳：ミシェル・フーコー（田村俶訳）『狂気の歴史』（新潮社、1975年）
———. *The Foucault Reader*. New York: Pantheon Books, 1984.
———. *The Order of Things: An Archaeology of the Human Sciences*. New York: Vintage Books, 1994 [1970]. 邦訳：ミシェル・フーコー（渡辺一民ほか訳）『言葉と物』（新潮社、1974年）
Fukuyama, Francis. *Identity: The Demand for Dignity and the Politics of Resentment*. New York: Farrar, Straus and Giroux, 2018. 邦訳：フランシス・フクヤマ（山田文訳）『IDENTITY（アイデンティティ）——尊厳の欲求と憤りの政治』（朝日新聞出版、2019年）
———. "Making the Internet Safe for Democracy." *Journal of Democracy* 32 (2021): 37-44.
———. *Political Order and Political Decay: From the Industrial Revolution to the Globalization of Democracy*. New York: Farrar, Straus and Giroux, 2014. 邦訳：フランシス・フクヤマ（会田弘継訳）『政治の衰退——フランス革命から民主主義の未来へ（上・下）』（講談社、2018年）
———. *The Origins of Political Order: From Prehuman Times to the French Revolution*. New York: Farrar, Straus and Giroux, 2011. 邦訳：フランシス・フクヤマ（会田弘継訳）『政治の起源——人類以前からフランス革命まで（上・下）』（講談社、2013年）
Galston, William A. "Liberal Virtues." *American Political Science Review* 82 (1988): 1277-90.
Gray, John. *Liberalism*. Milton Keynes, UK: Open University Press, 1986. 邦訳：ジョン・グレイ（藤原保信ほか訳）『自由主義』（昭和堂、1991年）
———. *Liberalisms: Essays in Political Philosophy*. London and New York: Routledge, 1989. 邦訳：ジョン・グレイ（山本貴之訳）『自由主義論』（ミネルヴァ書房、2001年）
Gurri, Martin. *The Revolt of the Public and the Crisis of Authority in the New Millennium*. San Francisco, CA: Stripe Press, 2018.
Haggard, Stephan. *Developmental States*. Cambridge, MA, and New York: Cambridge University Press, 2018.
Haidt, Jonathan. *The Righteous Mind: Why Good People Are Divided by Politics and Religion*. New York: Pantheon, 2012.
Hayek, Friedrich A. *Law, Legislation and Liberty*. Chicago, IL: University of Chicago Press, 1976. 邦訳：フリードリヒ・アウグスト・ハイエク（水吉俊彦ほか訳）『法と立法と自由（Ⅰ・Ⅱ・Ⅲ）』（春秋社、1987〜88年）
Hazony, Yoram. *The Virtue of Nationalism*. New York: Basic Books, 2018. 邦訳：ヨラム・ハゾニー（庭田よう子訳）『ナショナリズムの美徳』（東洋経済新報社、2021年）
Henrich, Joseph. *The WEIRDest People in the World: How the West Became Psychologically Peculiar and Particularly Prosperous*. New York: Farrar, Straus and Giroux, 2020.
Hofstadter, Richard. *The Paranoid Style in American Politics*. New York: Vintage, 2008.
Jiao, Xiao-qiang, Nyamdavaa Mongol, and Fu-suo Zhang, "The Transformation of Agriculture in China: Looking Back and Looking Forward." *Journal of Integrative Agriculture* 17 (2018): 755-64.
Kendi, Ibram X. *How to Be an Antiracist*. London: One World, 2019.

Kesler, Charles R. *Crisis of the Two Constitutions: The Rise, Decline, and Recovery of American Greatness.* New York: Encounter Books, 2021.

LaFrance, Adrienne. "The Prophecies of Q." *The Atlantic* (June 2020).

Lessig, Lawrence. "Against Transparency: The Perils of Openness in Government." *The New Republic* (October 19, 2009).

Luce, Edward. *The Retreat of Western Liberalism.* New York: Atlantic Monthly Press, 2017.

McCloskey, Deirdre N. *Bourgeois Dignity: Why Economics Can't Explain the Modern World.* Chicago, IL: University of Chicago Press, 2010.

———. *Why Liberalism Works: How True Liberal Values Produce a Freer, More Equal, Prosperous World for All.* New Haven, CT: Yale University Press, 2019.

MacIntyre, Alasdair. *After Virtue.* Notre Dame, IN: University of Notre Dame Press, 1981. 邦訳：アラスデア・マッキンタイア（篠﨑榮訳）『美徳なき時代』（みすず書房、2021年）

Marcuse, Herbert. *Eros and Civilization: A Philosophical Inquiry into Freud.* New York: Vintage Books, 1955. 邦訳：H・マルクーゼ（南博訳）『エロス的文明』（紀伊國屋書店、1958年）

———. *One-Dimensional Man: Studies in the Ideology of Advanced Industrial Society.* Boston, MA: Beacon Press, 1991. 邦訳：H・マルクーゼ（生松敬三ほか訳）『一次元的人間』（河出書房新社、1980年）

———. *Repressive Tolerance.* Berkeley, CA: Berkeley Commune Library, 1968.

Maslow, Abraham H. "A Theory of Human Motivation." *Psychological Review* 50 (1943): 370-96.

Melnick, R. Shep, *The Transformation of Title IX: Regulating Gender Equality in Education.* Washington, DC: Brookings Institution Press, 2018.

Milanovic, Branko. *Global Inequality: A New Approach for the Age of Globalization.* Cambridge, MA: Belknap/Harvard University Press, 2016. 邦訳：ブランコ・ミラノヴィッチ（立木勝訳）『大不平等――エレファントカーブが予測する未来』（みすず書房、2017年）

Mills, Charles W. *Black Rights/White Wrongs: The Critique of Racial Liberalism.* New York: Oxford University Press, 2017.

———. *The Racial Contract.* Ithaca, NY: Cornell University Press, 1997.

Mishra, Pankaj. *Bland Fanatics: Liberals, Race, and Empire.* New York: Farrar, Straus and Giroux, 2020.

North, Douglass C. *Institutions, Institutional Change and Economic Performance.* New York: Cambridge University Press, 1990. 邦訳：ダグラス・C・ノース（竹下公視訳）『制度・制度変化・経済成果』（晃洋書房、1994年）

Nozick, Robert. *Anarchy, State, and Utopia.* New York: Basic Books, 1974.

Olson, Mancur. *The Logic of Collective Action: Public Goods and the Theory of Groups.* Cambridge, MA: Harvard University Press, 1965. 邦訳：マンサー・オルソン（依田博ほか訳）『集合行為論――公共財と集団理論』（ミネルヴァ書房、1983年）

Ostrom, Elinor. *Governing the Commons: The Evolution of Institutions for Collective Action.* Cambridge: Cambridge University Press, 1990.

Packer, Dominic J., and Jay J. Van Bavel. *The Power of Us: Harnessing Our Shared Identities to Improve Performance, Increase Cooperation, and Promote Social Harmony.* New York and Boston: Little, Brown Spark, 2021.

Pateman, Carole. *The Sexual Contract. 30th Anniversary Edition, with a New Preface by the Author*. Stanford, CA: Stanford University Press, 2018. 邦訳：キャロル・ペイトマン（中村敏子訳）『社会契約と性契約——近代国家はいかに成立したのか』（岩波書店、2017年）

———., and Charles W. Mills. *Contract and Domination*. Cambridge: Polity Press, 2007.

Philippon, Thomas. *The Great Reversal: How America Gave Up on Free Markets*. Cambridge, MA: Belknap/Harvard University Press, 2019.

Pocock, J. G. A. *The Machiavellian Moment: Florentine Political Thought and the Atlantic Republican Tradition*. Princeton, NJ: Princeton University Press, 1975. 邦訳：J・G・A・ポーコック（田中秀夫ほか訳）『マキァヴェリアン・モーメント——フィレンツェの政治思想と大西洋圏の共和主義の伝統』（名古屋大学出版会、2008年）

Pomerantsev, Peter. *Nothing is True and Everything is Possible: The Surreal Heart of the New Russia*. New York: PublicAffairs, 2014.

Pomeranz, Kenneth. *The Great Divergence: China, Europe, and the Making of the Modern World Economy*. Princeton, NJ: Princeton University Press, 2000.

Putnam, Robert D., and David E. Campbell. *American Grace: How Religion Divides and Unites Us*. New York: Simon and Schuster, 2010. 邦訳：ロバート・D・パットナムほか（柴内康文訳）『アメリカの恩寵——宗教は社会をいかに分かち、結びつけるのか』（柏書房、2019年）

Rauch, Jonathan. *The Constitution of Knowledge: A Defense of Truth*. Washington, DC: Brookings Institution Press, 2021.

Rawls, John. *A Theory of Justice. Revised Edition*. Cambridge, MA: Belknap/Harvard University Press, 1999. 邦訳：ジョン・ロールズ（川本隆史ほか訳）『正義論』（紀伊國屋書店、2010年）

Rodgers, Daniel T. *Age of Fracture*. Cambridge, MA: Belknap/Harvard University Press, 2011.

Rosenblatt, Helena. *The Lost History of Liberalism*. Princeton, NJ: Princeton University Press, 2018. 邦訳：ヘレナ・ローゼンブラット（三牧聖子ほか訳）『リベラリズム　失われた歴史と現在』（青土社、2020年）

Said, Edward W. *Orientalism*. New York: Random House, 1978. 邦訳：エドワード・W・サイード（今沢紀子訳）『オリエンタリズム』（平凡社、1986年）

Sandel, Michael J. *Liberalism and the Limits of Justice. Second Edition*. New York: Cambridge University Press, 1998. 邦訳：マイケル・J・サンデル（菊池理夫訳）『リベラリズムと正義の限界』（勁草書房、2009年）

———. "The Procedural Republic and the Unencumbered Self." *Political Theory* 12 (1984): 81-96.

Saussure, Ferdinand de. *Course in General Linguistics*. New York: Columbia University Press, 2011. 邦訳：フェルディナン・ド・ソシュール（町田健訳）『新訳 ソシュール 一般言語学講義』（研究社、2016年）

Schmitt, Carl. *Political Theology: Four Chapters on the Concept of Sovereignty*. Chicago, IL: University of Chicago Press, 2006. 邦訳：カール・シュミット（中山元訳）『政治神学——主権の学説についての四章』（日経BP、2021年）

Shaara, Michael. *The Killer Angels*. New York: Ballantine Books, 1974.

Siedentop, Larry. *Inventing the Individual: The Origins of Western Liberalism*. London: Allen Lane, 2014.

Sokal, Alan, and Jean Bricmont. *Fashionable Nonsense: Postmodern Intellectuals' Abuse of Science*. New York: Picador, 1999.

Vermeule, Adrian. "Beyond Originalism." *The Atlantic* (March 31, 2020).

Walzer, Michael. *Spheres of Justice: A Defense of Pluralism and Equality*. New York: Basic Books, 1983. 邦訳：マイケル・ウォルツァー（山口晃訳）『正義の領分――多元性と平等の擁護』（而立書房、1999年）

Wooldridge, Adrian. *The Aristocracy of Talent: How Meritocracy Made the Modern World*. New York: Skyhorse Publishing, 2021.

Ziblatt, Daniel. *Conservative Parties and the Birth of Democracy*. New York: Cambridge University Press, 2017.

Zuckerman, Ethan. *Mistrust: Why Losing Faith in Institutions Provides the Tools to Transform Them*. New York: W. W. Norton, 2020.

# 原注

## 序

1. Deirdre McCloskey, *Why Liberalism Works: How True Liberal Values Produce a Freer, More Equal, Prosperous World for All* (New Haven, CT: Yale University Press, 2019).
2. *Freedom in the World 2021: Democracy Under Siege* (Washington, DC: Freedom House, March 2021) を参照。同報告書では、2020年のアメリカとインドの自由度スコアが引き下げられた。Larry Diamond, "Facing Up to the Democratic Recession," *Journal of Democracy* 26 (2015): 141-55を参照のこと。
3. 例えば、Edmund Fawcett, *Liberalism: The Life of an Idea* (Princeton, NJ: Princeton University Press, 2014); Helena Rosenblatt, *The Lost History of Liberalism* (Princeton, NJ: Princeton University Press, 2018), 邦訳：ヘレナ・ローゼンブラット（三牧聖子ほか訳）『リベラリズム　失われた歴史と現在』（青土社、2020年）、Larry Siedentop, *Inventing the Individual: The Origins of Western Liberalism* (London: Allen Lane, 2014); John Gray, *Liberalisms: Essays in Political Philosophy* (London and New York: Routledge, 1989), 邦訳：ジョン・グレイ（山本貴之訳）『自由主義論』（ミネルヴァ書房、2001年）がある。
4. Edward Luce, *The Retreat of Western Liberalism* (New York: Atlantic Monthly Press, 2017); Timothy Garton Ash, "The Future of Liberalism," *Prospect* (December 9, 2020).
5. Francis Fukuyama, "Liberalism and Its Discontents," *American Purpose* (October 5, 2020).

## 第１章　古典的リベラリズムとは何か

1. John Gray, *Liberalism* (Milton Keynes, UK: Open University Press, 1986), p.x. 邦訳：ジョン・グレイ（藤原保信ほか訳）『自由主義』（昭和堂、1991年）。
2. *Financial Times*（2019 年 6 月 27 日）「Vladimir Putin Says Liberalism Has 'Become Obsolete'」www.ft.com/content/670039ec-98f3-11e9-9573-ee5cbb98ed36 を参照。
3. Csaba Tóth, "Full Text of Viktor Orbăn's Speech at Báile Tuşnad (Tusnádfürdő) of 26 July 2014," *The Budapest Beacon* (July 29, 2014) を参照。
4. Francis Fukuyama, *The Origins of Political Order: From Prehuman Times to the French Revolution* (New York: Farrar, Straus and Giroux, 2011), 邦訳：フランシス・フクヤマ（会田弘継訳）『政治の起源——人類以前からフランス革命まで（上・下）』（講談社、2013年）、*Political Order and Political Decay: From the Industrial Revolution to the Globalization of Democracy* (New York: Farrar, Straus and Giroux, 2014), 邦訳：フランシス・フクヤマ（会田弘継訳）『政治の衰退——フランス革命から民主主義の未来へ（上・下）』（講談社、2018年）がある。
5. Dominic J. Packer and Jay J. Van Bavel, *The Power of Us: Harnessing Our Shared Identities to*

*Improve Performance, Increase Cooperation, and Promote Social Harmony* (New York and Boston: Little, Brown Spark, 2021) で示された例を参照。

6. このプロセスの説明については、Fukuyama (*Political Order and Political Decay*, 2014), chapter 28. 邦訳：フクヤマ（『政治の衰退』、2018年）第28章を参照のこと。
7. McCloskey (2019), p. x.
8. James Madison, Federalist No. 10 "The Same Subject Continued: The Union as Safeguard Against Domestic Faction and Insurrection," *Federalist Papers* (Dublin, OH: Coventry House Publishing, 2015). 邦訳：J・マディソンほか（斎藤眞ほか訳）『ザ・フェデラリスト』（岩波文庫、1999年）第10篇「派閥の弊害と連邦制による匡正（マディソン）」。
9. 概要は、Stephan Haggard, *Developmental States* (Cambridge, MA, and New York: Cambridge University Press, 2018) および Suzanne Berger and Ronald Dore, *National Diversity and Global Capitalism* (Ithaca, NY: Cornell University Press, 1996) を参照されたい。

## 第２章　リベラリズムからネオリベラリズムへ

1. この時期の概観は、Binyamin Appelbaum, *The Economists' Hour: False Prophets, Free Markets, and the Fracture of Society* (Boston: Little, Brown, 2019)を参照。
2. Niall Ferguson, *Doom: The Politics of Catastrophe* (New York: Penguin Press, 2021), p.181 から引用。邦訳：ニーアル・ファーガソン（柴田裕之訳）『大惨事（カタストロフィ）の人類史』（東洋経済新報社、2022年）。
3. Branko Milanovic, *Global Inequality: A New Approach for the Age of Globalization* (Cambridge, MA: Belknap/Harvard University Press, 2016) を参照。邦訳：ブランコ・ミラノヴィッチ（立木勝訳）『大不平等――エレファントカーブが予測する未来』（みすず書房、2017年）。

## 第３章　利己的な個人

1. Douglass C. North, *Institutions, Institutional Change and Economic Performance* (New York: Cambridge University Press, 1990). 邦訳：ダグラス・C・ノース（竹下公視訳）『制度・制度変化・経済成果』（晃洋書房、1994年）。
2. Deirdre N. McCloskey, *Bourgeois Dignity: Why Economics Can't Explain the Modern World* (Chicago, IL: University of Chicago Press, 2010), chapters 33-36. さらに McCloskey, *Beyond Positivism, Behaviorism, and Neoinstitutionalism in Economics* (Chicago, IL: University of Chicago Press: 2022), chapter 8 を参照。
3. Robert H. Bork, *The Antitrust Paradox: A Policy at War with Itself* (New York: Free Press, 1993); and "Legislative Intent and the Policy of the Sherman Act," *Journal of Law and Economics* 9 (1966): 7-48.
4. Oren Cass, *The Once and Future Worker: A Vision for the Renewal of Work in America* (New York:

Encounter Books, 2018) を参照のこと。

5. Thomas Philippon, *The Great Reversal: How America Gave Up on Free Markets* (Cambridge, MA: Belknap/Harvard University Press, 2019).
6. Francis Fukuyama, "Making the Internet Safe for Democracy" *Journal of Democracy* 32 (2021): 37-44.
7. Friedrich A. Hayek, *Law, Legislation and Liberty* (Chicago, IL:University of Chicago Press, 1976). 邦訳：フリードリヒ・アウグスト・ハイエク（水吉俊彦ほか訳）『法と立法と自由（Ⅰ・Ⅱ・Ⅲ）』（春秋社、1987～88年）。
8. Elinor Ostrom, *Governing the Commons: The Evolution of Institutions for Collective Action* (Cambridge: Cambridge University Press, 1990) を参照。
9. Xiao-qiang Jiao, Nyamdavaa Mongol, and Fu-suo Zhang, "The Transformation of Agriculture in China: Looking Back and Looking Forward," *Journal of Integrative Agriculture* 17 (2018): pp. 755-64, p.757；国際連合食糧農業機関（FAO） www.fao.org/home/en
10. Mancur Olson, *The Logic of Collective Action: Public Goods and the Theory of Groups* (Cambridge, MA: Harvard University Press, 1965). 邦訳：マンサー・オルソン（依田博ほか訳）『集合行為論——公共財と集団理論』（ミネルヴァ書房、1983年）。
11. Siedentop (2014) 参照。
12. Fukuyama (*The Origins of Political Order,* 2011), chapter 16. 邦訳：フクヤマ（『政治の起源』、2013 年）第16章。

## 第４章　主権者としての自己

1. John Rawls, *A Theory of Justice. Revised Edition* (Cambridge, MA: Belknap/Harvard University Press, 1999). 邦訳：ジョン・ロールズ（川本隆史ほか訳）『正義論』（紀伊國屋書店、2010年）。
2. ロールズに対する多角的な批判としては、Allan Bloom, "Justice: John Rawls Versus the Tradition of Political Philosophy," in *Giants and Dwarfs: Essays, 1960-1990* (New York: Simon and Schuster, 1990) を参照。
3. Robert Nozick, *Anarchy, State, and Utopia* (New York: Basic Books, 1974).
4. Alasdair MacIntyre, *After Virtue* (Notre Dame, IN: University of Notre Dame Press, 1981), pp.244-55; 邦訳：アラスデア・マッキンタイア（篠﨑榮訳）『美徳なき時代』（みすず書房、2021年）、Charles Taylor, *Sources of the Self: The Making of the Modern Identity* (Cambridge, MA: Harvard University Press, 1989), pp.88-90; 邦訳：チャールズ・テイラー（下川潔ほか訳）『自我の源泉——近代的アイデンティティの形成』（名古屋大学出版会、2010年）、Michael Walzer, *Spheres of Justice: A Defense of Pluralism and Equality* (New York: Basic Books, 1983); 邦訳：マイケル・ウォルツァー（山口晃訳）『正義の領分——多元性と平等の擁護』（而立書房、1999年）、Michael J. Sandel, *Liberalism and the Limits of Justice. Second Edition* (New York: Cambridge University Press, 1998). 邦訳：マイケル・J・サンデル（菊池理夫訳）『リベラリズムと正義の限界』（勁草書房、2009年）。

5. Sandel (1998), p.177.
6. 同上、pp.179, 186.
7. J. G. A. Pocock, *The Machiavellian Moment: Florentine Political Thought and the Atlantic Republican Tradition* (Princeton, NJ: Princeton University Press, 1975). 邦訳：J・G・A・ポーコック（田中秀夫ほか訳）『マキァヴェリアン・モーメント――フィレンツェの政治思想と大西洋圏の共和主義の伝統』（名古屋大学出版会、2008年）。
8. このことは以下に示されている。William A. Galston, "Liberal Virtues," *American Political Science Review* 82 (1988): 1277-90.
9. Robert D. Putnam and David E. Campbell, *American Grace: How Religion Divides and Unites Us* (New York: Simon and Schuster, 2010), p. 83. 邦訳：ロバート・D・パットナムほか（柴内康文訳）『アメリカの恩寵――宗教は社会をいかに分かち、結びつけるのか』（柏書房、2019年）。
10. Abraham H. Maslow, "A Theory of Human Motivation," *Psychological Review* 50 (1943): 370-96.
11. 米国における信頼の長期的低下については、Ethan Zuckerman, *Mistrust: Why Losing Faith in Institutions Provides the Tools to Transform Them* (New York: W. W. Norton, 2021), p.83を参照。
12. Tara Isabella Burton, *Strange Rites: New Religions for a Godless World* (New York: Public Affairs, 2020).
13. 「無知のヴェール」に包まれた人々はすべて、最も弱い立場にある人々を不利にしないようにするルールを選ぶと、ロールズは主張した。これに対する批判の一つは、それが非常に低いレベルのリスク許容度を想定していることである。大金持ちや権力者になることが期待できるのであれば、ひどい目に遭うリスクを選択することは十分にあり得る。例えば、映画『第三の男』に出てくるように、現代のスイスよりもルネサンス期のイタリアでの生活を好むことはあり得る。

### 第５章　リベラリズムが自らに牙をむく

1. Herbert Marcuse, *One-Dimensional Man: Studies in the Ideology of Advanced Industrial Society* (Boston, MA: Beacon Press, 1991). 邦訳：H・マルクーゼ（生松敬三ほか訳）『一次元的人間』（河出書房新社、1980年）。
2. Herbert Marcuse, *Repressive Tolerance* (Berkeley, CA: Berkeley Commune Library, 1968). また、Robert Paul Wolff, *A Critique of Pure Tolerance* (Boston, MA: Beacon Press, 1965) も参照。
3. Herbert Marcuse, *Eros and Civilization: A Philosophical Inquiry into Freud* (New York: Vintage Books, 1955). 邦訳：H・マルクーゼ（南博訳）『エロス的文明』（紀伊國屋書店、1958年）。
4. John Christman, *The Politics of Persons: Individual Autonomy and Socio-Historical Selves* (Cambridge, MA, and New York: Cambridge University Press, 2009), p.2.
5. Charles W. Mills, *Black Rights/White Wrongs: The Critique of Racial Liberalism* (New York: Oxford University Press, 2017), p.139.
6. Ann E. Cudd, *Analyzing Oppression* (New York: Oxford University Press, 2006), p.34.
7. Carole Pateman, *The Sexual Contract. 30th Anniversary Edition, with a New Preface by the Author*

(Stanford, CA: Stanford University Press, 2018), pp.93-94. 邦訳：キャロル・ペイトマン（中村敏子訳）『社会契約と性契約——近代国家はいかに成立したのか』（岩波書店、2017年）。
8. Pateman (2018), p.94.
9. Charles W. Mills, *The Racial Contract* (Ithaca, NY: Cornell University Press,1997). 邦訳：チャールズ・W・ミルズ（杉村昌昭ほか訳）『人種契約』（法政大学出版局、2022年）。また、Carole Pateman and Charles W. Mills, *Contract and Domination* (Cambridge: Polity Press, 2007)を参照。
10. Samuel Moyn, "The Left's Due——and Responsibility," *American Purpose* (January 24, 2021).
11. Frantz Fanon, *The Wretched of the Earth* (New York: Grove Press, 2004). 邦訳：フランツ・ファノン（鈴木道彦ほか訳）『地に呪われたる者』（みすず書房、1984年）。
12. Kenneth Pomeranz, *The Great Divergence: China, Europe, and the Making of the Modern World Economy* (Princeton, NJ: Princeton University Press, 2000).
13. Pankaj Mishra, "Bland Fanatics," in *Bland Fanatics: Liberals, Race, and Empire* (New York: Farrar, Straus and Giroux, 2020)を参照のこと。
14. Ta-Nehisi Coates, *Between the World and Me* (New York: Spiegel and Grau, 2015). 邦訳：タナハシ・コーツ（池田年穂訳）『世界と僕のあいだに』（慶應義塾大学出版会、2017年）。
15. Carl Schmitt, *Political Theology: Four Chapters on the Concept of Sovereignty* (Chicago, IL: University of Chicago Press, 2006)を参照。邦訳：カール・シュミット（中山元訳）『政治神学——主権の学説についての四章』（日経BP、2021年）。
16. Mills (1997), p.10.

## 第６章　合理性批判

1. Peter Pomerantsev, *Nothing is True and Everything is Possible: The Surreal Heart of the New Russia* (New York: PublicAffairs, 2014).
2. Jonathan Rauch, *The Constitution of Knowledge: A Defense of Truth* (Washington, DC: Brookings Institution Press, 2021).
3. Alan Sokal and Jean Bricmont, *Fashionable Nonsense: Postmodern Intellectuals' Abuse of Science* (New York: Picador, 1999), chapter 4.
4. Max Horkheimer and Theodor W. Adorno, *Dialectic of Enlightenment* (New York: Continuum, 1982), 邦訳：ホルクハイマー、アドルノ（徳永恂訳）『啓蒙の弁証法——哲学的断想』（岩波文庫、2007年）、Michel Foucault, *The Order of Things: An Archaeology of the Human Sciences* (New York: Vintage Books, 1994 [1970]). 邦訳：ミシェル・フーコー（渡辺一民ほか訳）『言葉と物』（新潮社、1974年）。
5. Ferdinand de Saussure, *Course in General Linguistics* (New York: Columbia University Press, 2011). 邦訳：フェルディナン・ド・ソシュール（町田健訳）『新訳 ソシュール 一般言語学講義』（研究社、2016年）。
6. Jacques Derrida, *Of Grammatology* (Baltimore, MD: Johns Hopkins University Press, 2016). 邦

訳：ジャック・デリダ（足立和浩訳）『グラマトロジーについて　根源の彼方に（上・下）』（現代思潮社、1972年）。

7. Michel Foucault, *Madness and Civilization: A History of Insanity in the Age of Reason* (New York: Vintage Books, 2013), 邦訳：ミシェル・フーコー（田村俶訳）『狂気の歴史』（新潮社、1975年）、*Discipline and Punish: The Birth of the Prison* (New York: Vintage Books, 1995), 邦訳：（田村俶訳）『監獄の誕生』（新潮社、1977年）、*The History of Sexuality: An Introduction* (New York: Vintage Books, 2012). 邦訳：（渡辺守章訳）『性の歴史Ⅰ　知への意志』（新潮社、1986年）。
8. Edward W. Said, *Orientalism* (New York: Random House, 1978). 邦訳：エドワード・W・サイード（今沢紀子訳）『オリエンタリズム』（平凡社、1986年）。
9. Kimberlé Crenshaw, "Mapping the Margins: Intersectionality, Identity Politics, and Violence against Women of Color," *Stanford Law Review* 43 (1991): 1241-99.
10. Joseph Henrich, *The WEIRDest People in the World: How the West Became Psychologically Peculiar and Particularly Prosperous* (New York: Farrar, Straus and Giroux, 2020).
11. Luce Irigaray, "Le Sujet de la science est-il sexué? (Is the subject of science sexed?)," *Hypatia 2* (1987): 65-87.
12. Michel Foucault, "Right of Death and Power Over Life," in *The Foucault Reader* (New York: Pantheon Books, 1984)を参照。
13. Daniel T. Rodgers, *Age of Fracture* (Cambridge, MA: Belknap/ Harvard University Press, 2011), pp.102-107.
14. 多数の例については、Sokal and Bricmont (1999)を参照。
15. Ibram X. Kendi, *How to Be an Antiracist* (London: One World, 2019); Robin DiAngelo, *White Fragility: Why It's So Hard for White People to Talk About Racism* (Boston, MA: Beacon Press, 2020).
16. Ross Douthat, "How Michel Foucault Lost the Left and Won the Right," *New York Times* (May 25, 2021).
17. Geoff Shullenberger, "Theorycels in Trumpworld," *Outsider Theory* (January 5, 2021) を参照。

## 第７章　テクノロジー、プライバシー、言論の自由

1. チェコでは、億万長者のアンドレイ・バビシュ首相が同国最大の出版社やその他のメディアのオーナーとなった。ルーマニアでは、大手テレビニュース局が億万長者のダン・ヴォイクレスクの所有となり、スロバキアの有力独立系新聞は、その調査報道対象であった投資グループに売却された。Rick Lyman, "Oligarchs of Eastern Europe Scoop Up Stakes in Media Companies," *New York Times* (November 26, 2014) を参照。
2. Martin Gurri, *The Revolt of the Public and the Crisis of Authority in the New Millennium* (San Francisco, CA: Stripe Press, 2018).
3. Jonathan Haidt, *The Righteous Mind: Why Good People Are Divided by Politics and Religion* (New York: Pantheon, 2012); Packer and Van Bavel (2021).

4. Reeve T. Bull, "Rationalizing Transparency Laws," *Yale Journal on Regulation Notice & Comment* (September 30, 2021); Lawrence Lessig, "Against Transparency: The Perils of Openness in Government," *The New Republic* (October 19, 2009); Albert Breton, *The Economics of Transparency in Politics* (Aldershot, UK: Ashgate, 2007).
5. ジョー・ポンペオによる以下の記事参照。"'It's Chaos': Behind the Scenes of Donald McNeil's *New York Times* Exit," *Vanity Fair* (February 10, 2021).
6. 連邦最高裁は、［妊娠中絶の権利を認めた］ロー対ウェイド裁判において、合衆国憲法に「プライバシーの権利」が組み込まれていることを見いだしたが、これは主に中絶を合法化するために使われ、情報や通信の一般的なプライバシーを保護するために使われたわけではない。
7. Adrienne LaFrance, "The Prophecies of Q," *The Atlantic* (June 2020).
8. Richard Hofstadter, *The Paranoid Style in American Politics* (New York: Vintage, 2008) を参照。
9. ミシェル・フーコーは著書『言葉と物』の中で、ベーコンによる近代的自然科学が台頭する以前の16世紀まで優勢だった認識方法について述べている。人々は、類似性、固有性、反復性、類比によって、目に見える世界とその鏡である隠された秩序、すなわち崇高な力によって構造化された世界との関係が明らかになると信じていた。観察者は、観察された現実の中に隠された世界を知る手がかりとなる印を探した。その世界を理解するためには、観察された現実の心的モデルを作るのではなく、散在する記号を読み取る方法を知らなければならなかった。インターネット時代の人々は、多くの点でこの前科学的な認識方法へと後退している。Qアノンの陰謀論者は、敵対するエリートや信頼できない機関によって操作された現実という、見かけとは大きく異なる現実を指し示す散在する手がかりに目を向ける。あるいは、自分の希望や期待を裏切るかもしれない外的な世界ではなく、自分の感情を覆い隠すために自分の内側に目を向ける。Foucault (1970), chapter 2.

## 第8章　代替案はあるのか？

1. Sohrab Ahmari, "Against David French-ism," *First Things* (May 29, 2019).
2. Adrian Vermeule, "Beyond Originalism," *The Atlantic* (March 31, 2020).
3. Yoram Hazony, *The Virtue of Nationalism* (New York: Basic Books, 2018). 邦訳：ヨラム・ハゾニー（庭田よう子訳）『ナショナリズムの美徳』（東洋経済新報社、2021年）。
4. Patrick J. Deneen, *Why Liberalism Failed* (New Haven, CT: Yale University Press, 2018), chapter 3. 邦訳：パトリック・J・デニーン（角敦子訳）『リベラリズムはなぜ失敗したのか』（原書房、2019年）。
5. Glenn Ellmers, "'Conservatism' Is No Longer Enough," *American Mind* (March 24, 2021).
6. Vermeule (2020). Laura K. Field, "What the Hell Happened to the Claremont Institute?" *The Bulwark* (July 13, 2021).
7. Hazony (2018).
8. Deneen (2018), chapter 3; Rod Dreher, *The Benedict Option: A Strategy for Christians in a Post-*

*Christian Nation* (New York: Sentinel, 2017), chapter 1.

## 第9章　国民意識

1. "Francis Fukuyama: Will We Ever Get Beyond the Nation-State ?" *Noema Magazine* (April 29, 2021) を参照。
2. Francis Fukuyama, "Why National Identity Matters," in Nils Holtug and Eric M. Uslaner, *National Identity and Social Cohesion* (London and New York: Rowman and Littlefield, 2021) を参照。
3. Hazony (2018); Rauch (2021); Matthew Yglesias, "Hungarian Nationalism Is Not the Answer," *Slow Boring* (August 6, 2021).
4. 例えば、Seymour Martin Lipset, *American Exceptionalism: A Double-Edged Sword* (New York: W. W. Norton, 1996) を参照。
5. Hazony (2018).
6. Michael Shaara, *The Killer Angels* (New York: Ballantine Books, 1974), p. 27.
7. Richard Schlatter, ed., *Hobbes's Thucydides* (New Brunswick,NJ: Rutgers University Press, 1975), pp.131-32.

## 第10章　自由主義社会の原則

1. Fukuyama (2014) 参照。
2. Daniel Ziblatt, *Conservative Parties and the Birth of Democracy* (New York: Cambridge University Press, 2017).
3. Fox & Friends（2020年3月30日）で発言。
4. 政治的言論に対するインターネット・プラットフォーム企業の力を弱める方法の一つは、コンテンツの選択や分類を外注できる「ミドルウェア」企業群をつくり、競争させることである。Fukuyama (2021).
5. R. Shep Melnick, *The Transformation of Title IX: Regulating Gender Equality in Education* (Washington, DC: Brookings Institution Press, 2018).